“九五”国家重点科技攻关项目
黄河中下游水资源开发利用及河道减淤清淤关键技术研究

小浪底水库运用初期三门峡水库运用方式研究

胡一三　姜乃迁　张翠萍　等著

黄河水利出版社

内 容 提 要

本书针对小浪底水库运用后和黄河水沙变化的新情况，研究和分析了小浪底水库运用后发挥三门峡水库综合效益的运用方式，并提出了改善黄河潼关高程的治理措施。

本书可供从事防汛与工程管理的水利科技人员、广大治黄职工参考。

图书在版编目(CIP)数据

小浪底水库运用初期三门峡水库运用方式研究／胡一三，姜乃迁，张翠萍等著．—郑州：黄河水利出版社，2004.7

ISBN 7-80621-802-5

Ⅰ．小…　Ⅱ．①胡…　②姜…　③张…　Ⅲ．水库－运行－研究－三门峡市　Ⅳ．TV697

中国版本图书馆 CIP 数据核字(2004)第 063890 号

出 版 社：黄河水利出版社

地址：河南省郑州市金水路 11 号　　邮政编码：450003

发行单位：黄河水利出版社

发行部电话及传真：0371—6022620

E-mail:yrcp@public.zz.ha.cn

承印单位：黄河水利委员会印刷厂

开本：787 mm×1 092 mm　1/16

印张：6.875

字数：159 千字　　印数：1—1 000

版次：2004 年 7 月第 1 版　　印次：2004 年 7 月第 1 次印刷

书号：ISBN 7-80621-802-5/TV·361　　定价：16.00 元

前　言

三门峡水利枢纽工程是黄河干流上兴建的第一座以防洪为主要目标的综合利用水利工程，1960 年 9 月投入运用，初期库区淤积严重，潼关高程快速抬升。1973 年年底以来一直采取蓄清排浑的运用方式。

潼关位于黄河和渭河汇流区下游出口，距三门峡水库大坝 113.5 km，是渭河下游和小北干流的局部侵蚀基准面。潼关高程的变化与来水来沙条件、水库运用方式、上下游河道冲淤等因素密切相关，对渭河下游和黄河小北干流河道冲淤及防洪有着重要影响。因此，长期以来，潼关高程的升降一直受到人们的特别关注。

1974 ~ 1985 年水沙条件与水库运用方式比较适应，潼关高程保持相对稳定。1986 年以来，由于黄河水量特别是汛期水量大幅度减少，库区发生累积性淤积，潼关高程再次呈上升趋势，并居高不下。

随着小浪底水库的投入运用，三门峡水库承担的防洪、防凌等任务都有不同程度的减轻，排沙条件也大为改善，这为研究解决三门峡库区问题创造了历史性机遇。在三门峡水库所承担的任务和来水来沙条件已发生较大变化的情况下，为控制潼关高程，有必要研究三门峡水库运用方式适当调整的问题；同时，在小浪底水库投入运用后，三门峡水库如何防洪调度也应进行深入研究。

本书所介绍内容是国家“九五”攻关专题“小浪底水库运用初期防洪减淤运用关键技术”的一个子专题，目的是根据小浪底运用后和黄河水沙变化的新情况，研究和提出小浪底水库运用后发挥三门峡水库综合效益的运用方式，并提出改善潼关高程的治理措施。研究工作于 1999 年开始，2001 年完成。

本书内容包括以下几个方面：小浪底水库运用初期三门峡水库承担任务分析；不同水沙条件和运用条件下三门峡水库冲淤规律分析；潼关高程演变规律、发展趋势及改善潼关河段淤积措施分析；三门峡水库调度运用方案分析；小浪底水库运用初期三门峡水库优化运用方式综合分析。

参加研究报告及本书编写的人员有：胡一三、姜乃迁、张翠萍、缪凤举、王桂娥、侯素珍、曲少军、梁国亭、孙绵惠。

本项目研究的主要完成人还有：乐金苟、张金良、李连祥、张原锋、季利、林秀芝、王育杰、李文学、王平、焦恩泽、张隆荣、周建波、伊晓燕、高德松、楚卫斌等。

项目研究主要参加单位有黄河水利科学研究院、黄河水利委员会总工办、三门峡水利枢纽管理局和三门峡水文水资源局。

本项研究成果是集体智慧的结晶，没有项目成员的共同努力，是不可能得到如此丰富的成果的。

三门峡水库涉及的问题十分复杂，不同时期影响潼关高程的主要因素又有所不同。本书对三门峡水库在小浪底水库投入运用后的运用方式和控制潼关高程的措施等方面作了一些初步性的探讨，深入的工作还应继续进行。

由于作者水平有限，书中有不妥和错误之处，恳请读者指正。

作　者

2004 年 2 月

目 录

第一章　三门峡水库概况

1　库区及坝址地理地貌特征

三门峡水利枢纽是黄河干流上兴建的第一座以防洪为主的大型综合利用水利工程，控制流域面积 68.8 万 km^2，占黄河流域面积的 91.5%；控制黄河水量的 89%，沙量的 98%。

三门峡大坝处在地势峻峭的峡谷地带，左岸大部分为陡崖峭壁，右岸较为平缓。黄河流至三门峡峡谷处，河道由向东急转为向南，形成 90º的河湾。河流在峡谷中受矗立河中的鬼门岛和神门岛所挡，将河水劈为鬼门、神门和人门三股激流，故为三门峡。

三门峡水库位于陕西、山西和河南三省交界地区，库区分布在中条山和秦岭之间的山间盆地。潼关将库区分为两部分，潼关以上库区黄河河谷较宽，且有辽阔的渭河平原，约占总库容的 70%；潼关以下河谷变窄，至三门峡坝址地区，两岸山岩夹峙，山高沟深，地势陡峻，整个库区呈“小颈大肚子”形态。

潼关以上库区的黄河干流部分为黄河小北干流(禹门口至潼关)，河段长 132.5 km，河谷宽窄相间，最窄处仅 3 km，最宽处可达 18 km，两岸为黄土台塬，高出河床 50 ~ 200 m，河道总面积约 1 107 km^2，其中滩地面积约 696 km^2。河道穿行于汾渭地堑谷凹地区，上陡下缓，纵比降为 6‰ ~ 2.3‰。黄河小北干流属于冲淤变化剧烈的游荡性河道，黄河出龙门峡谷后，河宽由几百米骤然成扇形扩展到几公里，最宽处达十几公里，致使河道宽浅，水流分散，流速减小，输沙能力降低，水流中挟带的大量泥沙沿程逐渐沉积，主流游荡摆动频繁，素有“三十年河东，三十年河西”之称；潼关以上的渭河下游和北洛河下游库区部分为黄土冲积形成的渭河河谷盆地，地势平坦，是关中平原的重要组成部分。

潼关以下库区部分(潼关至三门峡坝址)，长 113.5 km，河谷宽 1 ~ 6 km，两岸为黄土台塬，其高程多为 380 ~ 420 m，岸顶一般高出河床 20 ~ 60 m，河道上宽下窄，滩高槽深，为带状河道型库区。

潼关位于黄河小北干流、渭河和北洛河三河交汇区的下游出口。河道宽阔的小北干流至潼关处受秦岭阻挡转折 90º向东流，中条山和华山将该处的河谷宽度限制到 850 m，形成天然“卡口”。因此，潼关河床高程的变化，对黄河小北干流部分河段和渭河下游起着侵蚀基面的作用。同时，由于黄河小北干流的河床纵比降较大，而渭河下游下段河道较平缓(纵比降仅为 1.5‰)，纵比降的差异使得当黄河、渭河洪水遭遇或黄河流量大、渭河流量小时，常发生黄河顶托或倒灌渭河的现象。由于潼关为天然“卡口”，所以当潼关来水流量超过一定数量时，会发生卡水作用，致使汇流区出现自然滞洪现象。

2　三门峡水库运用及改建

三门峡水库投入运用以来分几个运用阶段：1960 年 9 月～1962 年 3 月为蓄水拦沙运用，1962 年 3 月～1966 年 6 月为原建规模下滞洪排沙运用，1966 年 7 月～1973 年 10 月为水库改建期滞洪排沙运用，1973 年 11 月以后为蓄清排浑控制运用。

三门峡水库于 1960 年 9 月开始蓄水拦沙运用，10 月回水直接影响潼关，1961 年 2 月 9 日达最高蓄水位 332.58 m，蓄水量 72.3 亿 m^3。蓄水后库区泥沙淤积严重，至 1962 年 2 月淤积泥沙 15.3 亿 t，有 93%的来沙淤在库内，淤积末端出现“翘尾巴”现象，淤积速度和部位超出预计值。由于水库回水超过潼关，1962 年 3 月潼关河床高程较蓄水前淤积抬高 4.67 m；渭河口形成拦门沙，渭河下游河道排洪能力迅速下降，河道淤积严重，水库淤积末端上延，两岸肥沃农田被淹，地下水位抬高，土地盐碱化范围扩大。

为了减缓库区淤积，1962 年 3 月三门峡水库改为滞洪排沙运用，闸门全部开启敞泄，但由于泄流排沙能力不足，入库泥沙仍有 60%淤在库内，淤积末端继续上延。在严峻的形势下，1964 年决定对三门峡水利枢纽工程泄流建筑物进行第一次改建，即增建“两洞四管”：在大坝左岸增建进口高程为 290 m、隧洞直径为 11 m 的两条泄流隧洞；把进口高程为 300 m、直径为 7.5 m 的 4 条发电钢管改建为泄流排沙钢管。“两洞四管”分别于 1966 年 7 月和 1968 年 8 月投入运用。第一次改建工程完成之后，枢纽的泄流规模增大了一倍，水库排沙泄流效益明显增大，缓解了水库的严重淤积，但仍有 20% 左右的来沙淤积在库内。潼关以下库区由淤积变为冲刷，但冲刷范围尚未影响到潼关。

1969 年“四省(晋、陕、豫、鲁)会议”之后，国务院批准了三门峡枢纽第二次改建方案，相继打开 1～8 号进口高程为 280 m 的原施工导流底孔，1～5 号机组进水口高程由 300 m 降至 287 m。1970 年 7 月～1973 年 10 月，水库敞泄排沙，库区冲刷剧烈，潼关河床高程有较大的下降。1973 年底，水库开始按“蓄清排浑”方式运用，使年内进出库泥沙和库区冲淤基本平衡。水库淤积减缓，潼关高程下降，使枢纽工程在新的条件下发挥了综合利用效益。

为了增大低水位时的泄洪排沙能力，又相继打开了 9～12 号施工导流底孔，1990 年 7 月 9～10 号底孔投入运用，1999 年 6 月 11 号底孔投入运用，2000 年 6 月 12 号底孔投入运用。

经过水库排沙泄流设施的改建和增建，到目前为止，枢纽工程泄流设施共有 2 条隧洞(进口高程 290 m)、12 个底孔(进口高程 280 m)、12 个深水孔(进口高程 300 m)、1 条泄流钢管(进口高程 300 m)，共 27 个孔洞；当水库控制水位在 315 m 高程时，泄量达 9 701 m^3/s(天津水利水电勘测研究院资料)，基本上达到了 1969 年“四省会议”的要求。

3　三门峡水库库容变化及其特征

对多泥沙河流上的水库来讲，除在汛期和凌汛期拦蓄洪水，减轻下游洪水及凌汛威胁外，还可利用水库进行灌溉、供水、发电等兴利之用，而水库库容的变化直接影响水库各项目标的实现。三门峡水库运用的实践经验表明，要想保持一定的可供长期运用的有效库容，水库在进行径流调节的同时，还必须时刻注意对泥沙的合理调节，这样才能不断地发挥水库的综合利用效益。

三门峡水库 335 m 高程以下库容包括黄河干流和渭河、北洛河下游部分河道，库容分配在横向上包括滩地和河槽两部分。三门峡水库蓄水运用前、后，335 m 高程以下的总库容变化见表 1-1；潼关以下库区 330 m 高程以下的滩库容、槽库容变化见表 1-2。

表 1-1　三门峡水库 335 m 高程以下总库容变化

时间（年·月·日）		库容(亿 m^3)			
		335 m	330 m	328 m	324 m
蓄水运用前(1960.4.30)		97.50	59.58	51.08	38.23
蓄水运用后(1964.10.11)		57.00	22.10	15.47	5.88
蓄清排浑运用	1973.9.26	60.55	32.57	25.82	15.10
	1990.10.2	58.23	30.41	23.87	13.19
	1998.5.22	55.60	29.50	22.82	12.15

表 1-2　潼关以下库区 330 m 高程以下滩库容、槽库容变化

时间（年·月·日）		库容(亿 m^3)		
		滩库容	槽库容	总库容
蓄水运用前(1960.4.30)		32.15	23.25	55.40
蓄水运用后(1964.10.11)		10.87	10.66	21.53
蓄清排浑运用	1973.9.26	9.58	22.10	31.68
	1988.9.21	8.24	22.56	30.80
	1998.5.22			29.26

注：1990 年以后缺滩、槽库容资料，故暂未列。

三门峡水库由于初期高水位蓄水拦沙运用，最高蓄水位为 332.58 m(1961 年 2 月 9 日)，回水超过潼关，渭河至华县附近(距坝址 165.2 km)库水位保持在 330 m 高程以上的时间长达 200 天，造成水库严重淤积，库容损失严重。由表 1-1 可知，水库蓄水前 335 m 高程以下库容为 97.50 亿 m^3，而 1964 年汛后减至 57.00 亿 m^3，库容损失约 42%。从表 1-2 看出，潼关以下库区 330 m 高程以下库容在水库蓄水运用前为 55.40 亿 m^3(1960 年 4 月)，1964 年 10 月仅剩 21.53 亿 m^3，库容损失 33.87 亿 m^3，损失约 61%。从潼关以下滩库容、槽库容变化看，三门峡水库蓄水运用前 (1960 年 4 月 30 日) 滩库容、槽库容分别为 32.15 亿、23.25 亿 m^3，滩库容占总库容的 58%，槽库容占 42%；蓄水运用后，由于库区发生淤积，滩库容、槽库容分别损失 21.28 亿 m^3 和 12.59 亿 m^3，滩库容、槽库容分配比例发生变化，各占 50%。水库经过增建和改建并改变运用方式以后，槽库容逐步恢复，至 1973 年 9 月槽库容由 1964 年 10 月的 10.66 亿 m^3 恢复到 22.10 亿 m^3。1973 年 11 月开始采用“蓄清排浑”调水调沙控制运用以来，潼关以下槽库容一直维持在 22 亿 m^3 左右，滩、槽总库容维持在 30 亿～32 亿 m^3(图 1-1、图 1-2)，而 335 m 高程以下库容基本上维持在55亿~60亿m^3。

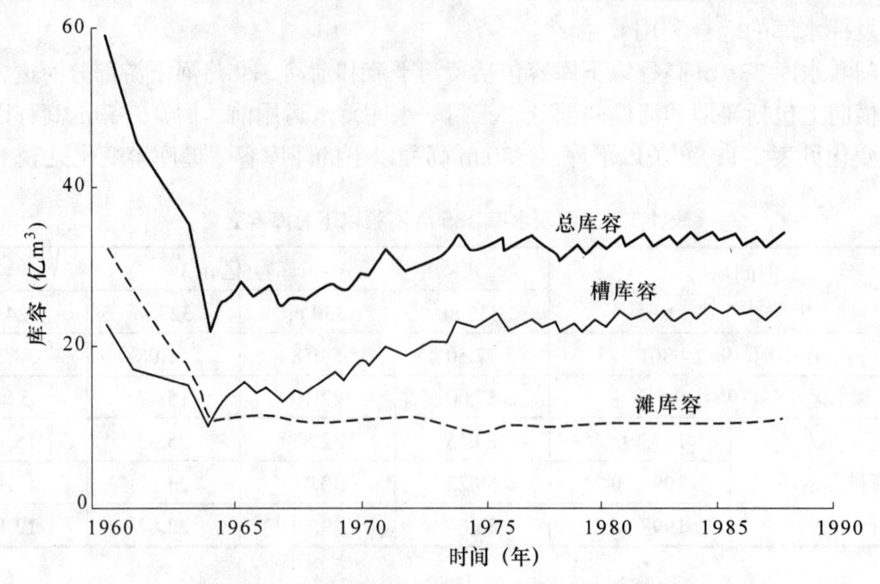

图1-1　三门峡水库330 m高程以下库容变化

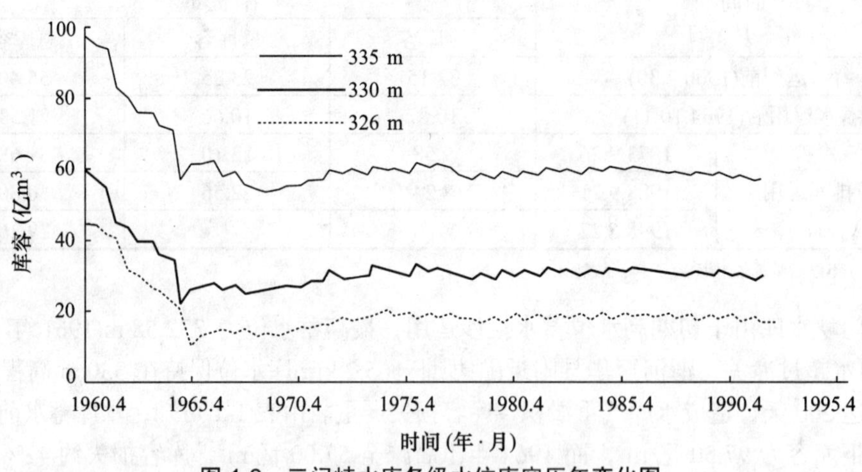

图1-2　三门峡水库各级水位库容历年变化图

由于黄河来沙量大，库区冲淤变化非常迅速，河床调整较快。库区冲淤变化与来水来沙条件、水库的泄流规模、运用方式和库区的地形、地质条件密切相关。根据河床调整过程中滩、槽的冲淤变化规律，滩地淤积很难冲刷，所以滩库容损失后就很难恢复。而槽库容的变化则不同，当水库蓄水时，槽库容淤积；当坝前水位下降以及来水量大时，河槽冲刷，槽库容增大，可恢复原有的槽库容。三门峡水库改为蓄清排浑运用后，非汛期蓄水进行防凌、发电、春灌等综合利用，库区发生淤积；汛期降低水位及利用洪水冲刷排沙。20多年的运用表明，槽库容在冲淤交替中基本保持稳定，虽然在非汛期蓄水运用时也使用了一部分滩库容，但由于含沙量小，所以库容变化并不大。

蓄清排浑的运用实践表明，三门峡水库槽库容的恢复主要是通过汛期降低水库水位引起自下而上的溯源冲刷和自上而下的沿程冲刷来实现的。水库降低水位发生的溯源冲刷一般在太安(大禹渡)附近(甚至可发展到坫垮)，只要不是枯水或连续枯水年份，一般都能发展为溯源冲刷与沿程冲刷相衔接。溯源冲刷能把库区河槽中大量淤积的泥沙带出库外，沿程冲刷可冲刷上段淤积的泥沙；而冲刷量的大小与水沙过程及来源组成、库区比降、坝前水位等因素有关。考虑到流量大时排沙对黄河下游输沙有利，从兼顾上下游而言，要充分利用洪水期大流量的排沙能力，将非汛期淤积在河槽内的泥沙排出库外，以恢复槽库容。

三门峡水库的运用实践表明，修建在多泥沙河流上的水库，滩库容一旦损失以后很难恢复。为了有效地保持库容，防御特大洪水，应采用合理的调度运用方式并合理地确定水库的防洪目标。在一般洪水情况下，使回水不要影响潼关，潼关以下也力求减少洪水出槽的机遇，以期较长时期内保留滩库容作为防御大洪水之用。为此，三门峡水库运用水位应不断调整和改善，尽量减少高水位的持续时间，以期使水库在防洪运用中不断地发挥作用。

4　三门峡水库的基本任务及作用

三门峡水库是修建在多泥沙河流上以防洪、防凌为主，兼顾灌溉、发电、供水的综合利用水库。三门峡水库控制了黄河中游河口镇至龙门和龙门至三门峡区间两个主要洪水来源区，防御特大洪水、确保黄河下游防洪安全是三门峡水利枢纽的首要任务，对一般洪水不拦蓄，仅起削峰滞洪作用。根据 1969 年晋、陕、豫、鲁四省会议制定的原则，当三门峡以上地区发生特大洪水时，敞开闸门泄洪；当花园口站可能发生超过 2.2 万 m^3/s 洪水时，应根据上、下游来水情况关闭部分或全部闸门，增建的泄水孔原则上应提前关闭，以防增加黄河下游的防洪负担。

三门峡水库防洪运用水位 335 m 高程以下的有效库容近 60 亿 m^3，用于防御特大洪水。当三门峡以上地区出现流量大于 10 000 m^3/s 的洪水时，可通过对三门峡的控制运用来削减洪峰流量，以减轻下游堤防负担和减少漫滩淹没损失。另外，可通过对三门峡、陆浑和故县水库联合调度运用，来减少下游花园口洪峰流量超过 22 000 m^3/s 的出现几率，使黄河下游防洪调度灵活、可靠。

自三门峡水库建成后，由于水库的防凌蓄水运用，不仅有效地削减了凌汛洪峰，还使凌情较重年份的河道由“武开河”变为“文开河”。利用水库调节黄河下游流量，对保证下游凌汛安全起到了关键作用。同时，三门峡水库在灌溉、供水、发电和减淤等方面也发挥了效益。

40 余年来，三门峡水库的作用是显著的，但库区河道淤积及潼关高程上升也带来了一些不利影响。小浪底水库建成投入运用后，三门峡水库原有的防洪、防凌、灌溉、蓄水等任务将相应进行调整，特别是在小浪底水库运用初期，有些任务将主要由小浪底水库来承担。为使三门峡水库继续发挥作用而不影响潼关高程，本书对水库运用、库区冲淤变化和潼关高程演变规律及影响因素进行了分析，在此基础上，通过对不同方案进行计算及综合对比，研究小浪底水库运用初期三门峡水库的运用方式，并对潼关高程的发展趋势和改善措施进行探讨。

参考文献

[1] 黄河三门峡水利枢纽志编纂委员会. 黄河三门峡水利枢纽志. 北京：中国大百科全书出版社，1993

[2] 程龙渊，刘拴明，等. 三门峡库区水文泥沙实验研究. 郑州：黄河水利出版社，1999

[3] 杨庆安，龙毓骞，缪凤举. 黄河三门峡水利枢纽运用与研究. 郑州：河南人民出版社，1995

第二章　三门峡水库冲淤及潼关高程演变分析

1　来水来沙条件及其变化趋势

三门峡水库1973年底开始采用“蓄清排浑”运用方式，潼关以下库区呈汛期冲刷、非汛期淤积的基本特性。其中1974～1986年，库区冲淤基本平衡，潼关高程保持相对稳定；1986年以后，由于上游龙羊峡水库与刘家峡水库联合运用，工农业用水持续增加、降雨量减少和水土保持的减水减沙作用等，水库的来水来沙条件发生了很大的变化，库区累积淤积，潼关高程持续抬升，给三门峡水库运用和渭河下游防洪均带来不良影响。水沙条件的变化主要表现在来水来沙数量、水沙年内分配、洪峰大小和频率上，而发展趋势则取决于上游水库运用情况、工农业用水量变化情况、气候因素等。

1.1　水沙特征

1.1.1　年际变化

潼关水文站1950～2000年(指运用年，即上年度11月到本年度10月，下同)长系列年平均水量367亿m^3、沙量11.8亿t，其中汛期水量204亿m^3、沙量9.8亿t，分别占年水量、沙量的56%和83%。1974～2000年潼关站年均水量322亿m^3、沙量8.8亿t，其中汛期水量170亿m^3、沙量7.1亿t，分别占年水量、沙量的53%和81%；年平均含沙量27 kg/m^3，汛期平均含沙量42 kg/m^3，非汛期平均含沙量12 kg/m^3，见表2-1。

表2-1　不同时段潼关站水沙量

时段	水量(亿m^3)			沙量（亿t)			含沙量(kg/m^3)		
	非汛期	汛期	运用年	非汛期	汛期	运用年	非汛期	汛期	运用年
1950～2000年	163	204	367	2.0	9.8	11.8			
1974～2000年	152	170	322	1.7	7.1	8.8	12	42	27
1974～1985年	165	236	401	1.6	8.9	10.5	10	38	26
1986～2000年	141	117	258	1.9	5.6	7.5	14	48	29

图2-1为“蓄清排浑”运用以来潼关站历年水沙过程，以1985年为界，来水量明显表现为不同的特征。1974～1985年总体为丰水系列，12年中除了1974和1980年来水量偏枯(少于280亿m^3)以外，其他年份或平或偏丰，其中1975、1976、1981、1983、1984、1985年6年的来水量均超过了400亿m^3，最丰的1976年达539亿m^3。1986～2000年为连续枯水系列，15年中来水最多的1989年为377亿m^3，1987、1991～2000年11年的来水量均少于300亿m^3，1997年的来水量最少，只有161亿m^3。

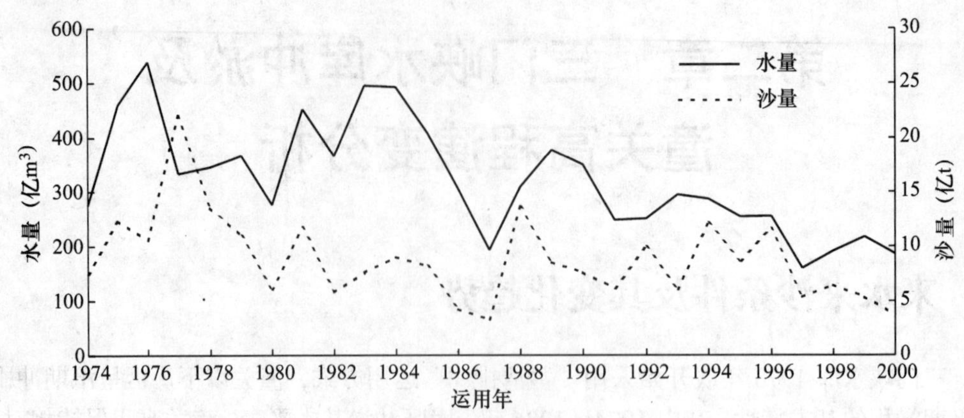

图 2-1　潼关站历年水沙量

两个时段的来沙量与长系列相比均偏少，后一时段偏少更多，但不像来水量那样表现出明显的系统差异。1974～2000 年 27 年中来沙量较多(超过 10 亿 t)的年份有 1975～1979、1981、1988、1994、1996 年 9 年，其中，1977 年为特大来沙年，来沙量达 22 亿 t；来沙量较少(6 亿 t 以下)的年份有 1982、1986、1987、1993、1997、1999、2000 年 7 年，其中，1987 年来沙量最少，只有 3.2 亿 t。

表 2-2 给出了潼关站不同时期的水沙量变化特征值。1974～1985 年平均年来水量 401 亿 m^3，与长系列相比偏丰 9%，其中汛期 236 亿 m^3，偏丰 16%；年平均来沙量 10.5 亿 t，与长系列相比偏少 11%，其中汛期 8.9 亿 t，偏少 9%。1986～2000 年平均来水量 258 亿 m^3，与长系列相比偏枯 30%，其中汛期 117 亿 m^3，偏枯 43%；年平均来沙量 7.5 亿 t，与长系列相比偏少 36%，其中汛期 5.6 亿 t，偏少 43%。

表 2-2　潼关站水沙变化百分数　（%）

项目	时段	非汛期	汛期	运用年	汛期占年百分比
水量距平	1974～1985 年	1	16	9	59
	1986～2000 年	–13	–43	–30	45
沙量距平	1974～1985 年	–20	–9	–11	85
	1986～2000 年	–5	–43	–36	75
系列变化	水量	–15	–50	–36	
	沙量	19	–37	–29	

注：距平系与 1950～2000 年系列相比较；系列变化为 1986～2000 年系列与 1974～1985 年系列相比较。

1986～2000 年与 1974～1985 年相比，潼关站年来水量减少 36%，汛期减少 50%，非汛期减少 15%，可见来水量减少主要发生于汛期；年来沙量减少 29%，汛期减少 37%，非汛期增多 19%。由于来水量减少的比例远大于来沙量，所以年均含沙量由 1974～1985 年的 26 kg / m^3 提高到 1986～2000 年的 29 kg / m^3，汛期平均含沙量由 38 kg / m^3 增加到 48 kg / m^3，非汛期平均含沙量由 10 kg / m^3 增加到 14 kg / m^3。

1.1.2 水沙年内分配

潼关站 1986 ~ 2000 年系列不仅来水来沙量比 1974 ~ 1985 年系列大大减少，而且由于上游龙羊峡水库汛期蓄水、非汛期泄水，导致水沙的年内分配也发生了较大变化。汛期来水量占全年的比例由 1974 ~ 1985 年系列的 59%下降为 1986 ~ 2000 年系列的 45%，汛期来沙量占全年的比例由 85%下降为 75%。

由表 2-3 潼关站逐月水沙变化可见，与 1974 ~ 1985 年系列相比，1986 ~ 2000 年系列汛期减水量最大的月份是 10 月，由 60.1 亿 m^3 减为 18.7 亿 m^3，减水幅度达 69%，其次是 9 月，由 68.4 亿 m^3 减为 30.8 亿 m^3，减水幅度达 55%；非汛期减水主要发生在 11 月，由 28.2 亿 m^3 减为 16.3 亿 m^3，减水幅度达 42%。汛期减沙量最大的月份是 9 月份，由 1.866 亿 t 减为 0.843 亿 t，减沙幅度达 55%，其次是 10 月，由 0.962 亿 t 减为 0.230 亿 t，减沙幅度达 76%；非汛期 6 月份的沙量增加最多，由 0.176 亿 t 增为 0.390 亿 t，增沙幅度达 122%。1986 年以后，汛期来水主要集中在 7 ~ 9 月，来沙则主要集中在 7 ~ 8 月，10 月份的来水来沙不再具备汛期的特征。

表 2-3 潼关站逐月水沙变化

月份	水量（亿 m^3）				沙量（亿 t）			
	1974 ~ 1985 年	1986 ~ 2000 年	变化量	变化(%)	1974 ~ 1985 年	1986 ~ 2000 年	变化量	变化(%)
1	16.1	14.4	–1.7	–11	0.159	0.165	0.006	4
2	19.3	16.6	–2.7	–14	0.185	0.191	0.006	3
3	26.1	27.2	1.1	4	0.249	0.361	0.112	45
4	25.5	24.5	–1.0	–4	0.199	0.232	0.033	17
5	18.3	12.6	–5.7	–31	0.155	0.170	0.015	10
6	13.9	14.6	0.7	5	0.176	0.390	0.214	122
7	44.4	27.8	–16.6	–37	2.469	1.908	–0.561	–23
8	63.3	39.9	–23.4	–37	3.550	2.604	–0.946	–27
9	68.4	30.8	–37.6	–55	1.866	0.843	–1.023	–55
10	60.1	18.7	–41.4	–69	0.962	0.230	–0.732	–76
11	28.2	16.3	–11.9	–42	0.309	0.184	–0.125	–40
12	17.3	15.4	–1.9	–11	0.177	0.218	0.041	23

1.1.3 水沙来源组成

潼关站的水沙量主要来自黄河龙门以上和渭河华县以上。1974 ~ 2000 年系列龙门站年均水量 251 亿 m^3，占潼关水量的 78%，沙量 5.6 亿 t；华县站年均来水量 60 亿 m^3，占潼关水量的 19%，沙量 2.9 亿 t。由表 2-4 龙门、华县水沙变化统计可见，龙门站 1986 ~ 2000 年系列多年平均水量比 1974 ~ 1985 年系列减少约 105 亿 m^3，华县站减少约 28 亿 m^3，两站汛期、非汛期的减水幅度与潼关站同期相当。龙门和华县站沙量变幅与潼关站有较大差异，汛期两站的减沙幅度均小于潼关站，反映了汛期河道的淤积作用；非汛期两站的来沙量均有所提高，以华县的提高更为显著。

表 2-4　龙门、华县水沙变化统计

站名	项目	时段	非汛期	汛期	运用年	汛期占年来水比(%)
龙门	水量(亿 m^3)	1974 ~ 1985 年	135.8	173.5	309.2	56
		1986 ~ 2000 年	118.0	86.4	204.4	42
		系列变化(%)	–13	–50	–34	
	沙量(亿 t)	1974 ~ 1985 年	0.83	5.64	6.48	87
		1986 ~ 2000 年	0.89	4.01	4.90	82
		系列变化(%)	7	–29	–24	
华县	水量(亿 m^3)	1974 ~ 1985 年	24.0	51.7	75.7	68
		1986 ~ 2000 年	21.2	26.8	48.0	56
		系列变化(%)	–12	–48	–37	
	沙量(亿 t)	1974 ~ 1985 年	0.22	2.93	3.15	93
		1986 ~ 2000 年	0.40	2.22	2.62	85
		系列变化(%)	82	–24	–17	

1.1.4　洪水流量及频率变化

潼关站的水沙变化除了来水来沙总量减少和年内分配趋于均匀外，汛期洪水特征也发生了很大的变化。由表 2-5 可见，1986 年以后，洪水发生频次减少；最大峰值减小；洪水平均持续天数由 72 天降为 36 天；洪量变化最为显著，由 187 亿 m^3 减为 53 亿 m^3，减幅达 72%。

从流量级来看，1986 年以后，大流量出现频率减少，小流量出现频率增加。1974 ~ 1985 年大于 2 500 m^3/s 流量的水量占汛期水量 50%以上，大于 1 500 m^3/s 流量的天数占汛期的 67%，而 1986 ~ 2000 年小于 1 500 m^3/s 流量的水量由 1974 ~ 1985 年的 15.3%增加为 52.9%，小于 1 500 m^3/s 流量天数由 1974 ~ 1985 年的 34%增加为 77.1%(见表 2-6)。汛期平均流量 1974 ~ 1985 年为 2 220 m^3/s，1986 ~ 2000 年只有 1 100 m^3/s。

1.2　水沙变化原因及发展趋势

1986 年以来，汛期水量大幅减少，主要是黄河上中游地区降雨偏少和人类活动给河道径流带来的影响。兰州以上为黄河流域主要产流区，汛期径流量的丰枯取决于流域降雨量的大小。1986 年前后该区的降水量和径流量都发生了一个突变，由丰枯相间转变为持续的枯水阶段。进入 20 世纪 90 年代以后的 6 年间，降水量比常年偏少 14%，这对于降水变率较小的兰州以上地区来说，为有史以来所罕见的。河口镇至龙门区间，近 10 年降水量与多年均值相比，干流以东大部分地区降水较丰，偏丰 10% ~ 15%；干流以西地区偏枯 10% ~ 30%。黄河上游和河口镇至龙门区间受降水变化的影响，径流量大幅减少。黄河唐乃亥站以上流域基本不受人类活动的影响，1956 ~ 1968 年年均径流量 213 亿 m^3，其中汛期水量 131 亿 m^3，占年水量的 61.5%。1990 ~ 1997 年年均水量减至 167 亿 m^3，与 1956 ~ 1968 年年均值相差 46 亿 m^3；汛期水量 91.5 亿 m^3，比 1956 ~ 1968 年汛期均值

表 2-5 潼关站汛期历年洪水统计

年份	次数	天数	最大流量(m^3/s)	洪水水量(亿 m^3)
1974	4	30	7 040	48.0
1975	5	112	5 910	302.6
1976	4	72	9 220	240.3
1977	2	30	15 400	71.7
1978	6	88	7 300	190.2
1979	3	55	11 100	134.4
1980	7	65	3 180	88.4
1981	5	98	6 540	300.2
1982	4	83	4 760	146.4
1983	4	97	6 200	276.2
1984	6	94	6 430	243.8
1985	5	87	5 540	200.3
1986	3	23	3 940	49.1
1987	1	20	5 450	15.1
1988	5	42	8 260	98.9
1989	3	69	7 280	158.6
1990	3	33	4 430	51.6
1991	2	11	3 310	12.2
1992	6	53	4 040	88.7
1993	3	48	4 440	81.6
1994	4	29	7 360	54.3
1995	4	34	4 160	45.4
1996	3	28	7 400	49.6
1997	1	7	4 700	10.4
1998	2	24	6 500	39.4
1999	1	23	2 950	30.0
2000	1	9	2 270	11.0
1974～1985 年系列平均	5.3	72		186.9
1986～2000 年系列平均	3.6	36		53.0

减少 39.5 亿 m^3。头道拐站在对 1990～1996 年径流量还原计算之后，仍比长系列天然径流量偏少 65 亿 m^3 左右。同期河口镇至龙门区间还原后的水量与 20 世纪 80 年代基本相近，而较 70 年代偏少 12 亿 m^3 左右。据分析，近 10 年来，渭河流域咸阳以上地区气候因素是影响径流减少的主要原因，占径流总减少量的 55.9%；泾河流域气候因素影响的径流减少量占径流总减少量的 51.8%。同期汾河降水量和径流量亦呈减小趋势。

表 2-6　潼关站各流量级水沙量占汛期比例

流量级(m^3 / s)	＞2 500	2 500 ~ 1 500	1 500 ~ 500	≤500
时段	各流量级天数占汛期百分比(%)			
1974 ~ 1985 年	34.0	32.0	32.0	2.0
1986 ~ 2000 年	6.6	16.3	57.4	19.7
1996 ~ 2000 年	1.1	10.7	57.4	30.8
	各流量级水量占汛期水量百分比(%)			
1974 ~ 1985 年	56.2	28.5	15.0	0.3
1986 ~ 2000 年	19.3	27.8	47.2	5.7
1996 ~ 2000 年	5.2	24.9	58.7	11.2
	各流量级沙量占汛期沙量百分比(%)			
1974 ~ 1985 年	63.2	26.5	10.2	0.1
1986 ~ 2000 年	36.6	34.3	27.6	1.5
1996 ~ 2000 年	20.9	41.8	34.3	3.0
	各流量级平均含沙量(kg / m^3)			
1974 ~ 1985 年	42.1	34.9	25.3	12.7
1986 ~ 2000 年	90.1	58.7	27.8	12.9
1996 ~ 2000 年	219.0	90.5	32.0	13.8

农业灌溉用水、城市生活和工业用水的增加也是黄河上中游径流量减少的原因之一。1987 ~ 1996 年黄河上游农业灌溉、城市生活及工业耗水量年均达 126 亿 m^3，比 20 世纪 80 年代初多 8 亿 m^3，比 60 ~ 70 年代多 20 亿 ~ 30 亿 m^3。其中汛期耗水量 60.6 亿 m^3，占年耗水总量的 50%左右。河口镇至龙门区间，1990 ~ 1996 年水土保持措施年均减水约 12.7 亿 m^3；泾、洛、渭河 20 世纪 80 年代水利水保工程年均减水量已达 20.3 亿 m^3；汾河流域径流量亦相对减少 10 亿 m^3 左右。

另外，龙羊峡、刘家峡水库联合运用后，汛期拦蓄洪水、非汛期泄水，一方面改变了下段河道的流量过程，使流量变化趋于均匀平缓，改变了年内汛期和非汛期水量的分配比例；另一方面则减少了河道径流量。1986 ~ 1989 年龙羊峡水库初期蓄水阶段，两库汛期平均蓄水 52.5 亿 m^3，非汛期平均泄水 2.3 亿 m^3，平均蓄水 50.2 亿 m^3。龙羊峡水库转入正常运用后，1990 ~ 1996 年汛期平均蓄水 37.1 亿 m^3，非汛期泄水 48.6 亿 m^3，平均泄水 11.5 亿 m^3。受其影响，头道拐站因龙羊峡、刘家峡水库调节水量，1986 年 11 月 ~ 1996 年 10 月汛期平均减少水量 47.4 亿 m^3，非汛期增加水量 38.2 亿 m^3，年均减少水量 9.2 亿 m^3。

综合以上分析，潼关以上黄河上中游地区近 10 年农业灌溉、城市生活及工业用水、水利水保措施减水等，使河道径流的减少量已达 170 亿 ~ 180 亿 m^3。黄河上中游用水量的大量增加，以及气候因素对径流产生的影响，导致黄河、渭河和汾河来水量大幅减少。

随着国民经济的持续发展，黄河上中游地区的农业灌溉、工业和城市生活用水对水资源的需求越来越大，水利水保工程的减水减沙效益也会越来越高。这些因素使河川径流继续减少的发展趋势愈来愈明显。在黄河上中游地区采取节水措施及合理的水量调度将有利于改善潼关河段的径流状况。关于气候变化的发展趋势，根据有关资料分析，1986年以来黄河上中游径流量为20世纪50年代以来最小值。其气候背景为降水、气温，以及与其相关联的西太平洋副热带高压、青藏高原与印、缅槽区的高度场、台风活动等出现了气候突变。自20世纪90年代开始，热带太平洋发生了百年罕见的持续性ENSO现象[❶]，并连续发生了3次ENSO事件。正是由于诸多因素的异常变化，从而导致黄河中上游水枯沙多。对于降水变率较小的黄河上游来说，在经历了多年的持续少雨之后，有望近期恢复正常。河口镇至龙门区间是黄河洪水的主要来源区，其间又主要来自吴堡以上。黄河水利科学研究院根据该区水量历史演变的周期性，采用主要周期叠加外延的方法，依据对降水量序列的变化趋势进行后延降水的预报结果，大体可以得到以下看法：近期将进入多雨段，持续9～11年，多雨(包括偏多)年出现的概率超过60%；尤其2003～2004年和2009年前后多雨显著，降水量比常年偏多50%以上；而近三四年内，将有多雨、少雨交替出现的特点。渭河流域降水年际变化很大，但表现出明显的阶段性，各时期的降水量存在明显的差异；同时，降水变化还具有明显的周期性。黄河流域各区及年、汛期降水量普遍存在显著周期的长度有17年、2年和4～5年，其次是9～13年和21～23年。近10年是有记录以来降水量最少的，1985年以来的少雨枯水段已持续10余年，根据降水的阶段性及周期性变化规律，综合分析人类活动对径流的影响，黄河、渭河、洛河和汾河的来水量，黄河流域在经历了10余年的枯水过程之后，有望从低谷转为平水或水量较丰阶段。

2 库区冲淤分布及不同运用水位对库区淤积影响

2.1 非汛期运用水位变化及不同水位影响分析

2.1.1 非汛期运用水位变化

2.1.1.1 水位变化情况

三门峡水库自蓄清排浑运用以来，每年11月至来年6月进行防凌、春灌、发电运用。从史家滩非汛期日均水位过程线(如图2-2所示)可知，史家滩水位从11月初的308 m左右起，一直保持上升，到12月10日左右达到315 m；12月10日至来年1月上旬，史家滩水位从315 m下降至312 m左右；1月上旬到6月上旬，三门峡水库进行防凌、春灌蓄水，水位较高。非汛期最高水位一般在4月份出现，4月份的水位一般在320 m以上。

表2-7为不同时期史家滩各月平均水位，1974～2000年 4月份为322.24 m，2月、3月和5月份也都在319 m以上，11月、12月和1月份在312 m左右。1986～1992年和1993～2000年各月平均水位与1974～1985年相比，除11月和1月份平均水位略有上升外，其他月份都有下降，3、4、5月份下降最为明显，其中5月份水位下降最多，从1974～1985年的321.88 m，下降到达319.08 m和316.64 m。

---

❶ ENSO是厄尔尼诺和南方涛动的总称。厄尔尼诺是指赤道东太平洋海表温度出现异常的增温现象；南方涛动是指南印度洋、热带西太平洋为一方和热带东太平洋为另一方海平面气压之间的变化，形成反相或跷跷板现象。

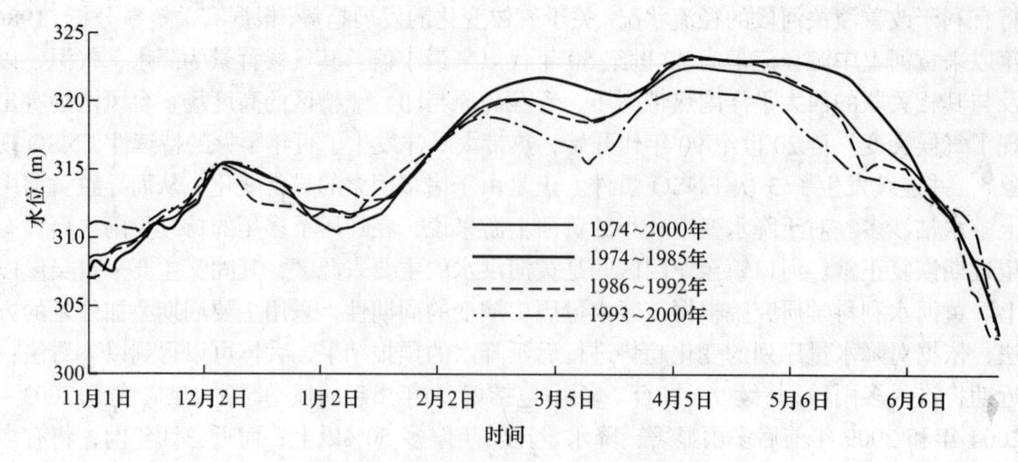

图 2-2 非汛期史家滩日均水位过程线

表 2-7 史家滩月均水位统计 （单位：m）

月份	1974 ~ 2000 年	1974 ~ 1985 年	1986 ~ 1992 年	1993 ~ 2000 年
11	310.40	309.76	310.34	311.39
12	313.96	314.04	313.22	314.49
1	313.00	312.28	313.48	313.68
2	319.16	319.80	319.04	318.28
3	319.56	321.06	319.43	317.43
4	322.24	322.94	322.84	320.66
5	319.60	321.88	319.08	316.64
6	311.63	312.39	310.47	311.49

从史家滩非汛期最高水位过程线(图 2-3)可以看出，1974 ~ 2000 年史家滩最高水位为 1977 年 3 月 1 日的 325.95 m，1999 年非汛期最高水位为 320.74 m。1974 ~ 1985 年有 7 年最高水位超过 324 m，3 年接近 324 m，另外两年的最高水位也在 323.50 m 以上；1986 ~ 1992 年，除 1986 年非汛期最高运用水位为 322.62 m 以外，另外 6 年最高水位都接近 324 m；1993 ~ 2000 年，除 1998 年 6 月因特殊原因水库运用水位达 323.73 m 和 1994 年达到 322.64 m 外，其他年份都在 322 m 以下，在此阶段非汛期最高水位明显下降。

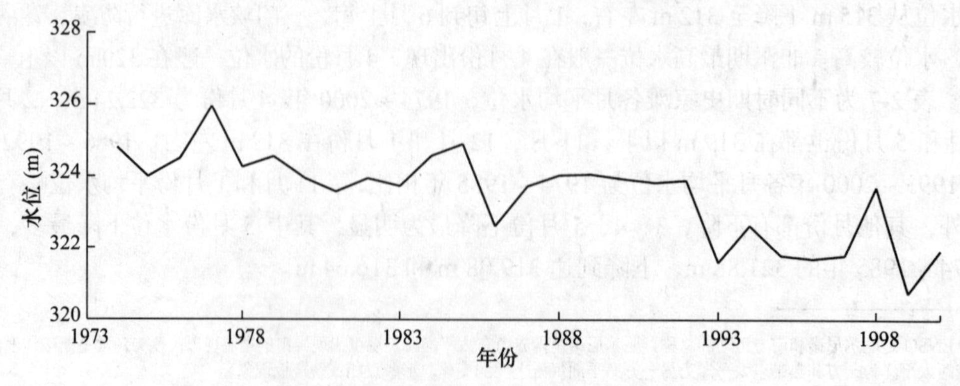

图 2-3 史家滩非汛期最高水位过程线

2.1.1.2　各级水位天数变化

三门峡水库运用水位的高低和各级运用水位的天数，决定了非汛期库区的淤积形态和重心部位。

从图 2-4 史家滩非汛期各级运用水位天数变化过程线可以看出，1974～2000 年变化最为明显的是水位超过 320 m 的天数，1974～1985 年保持在 100 天左右，1986～1992 年在 65 天左右，1993～2000 年在 45 天左右。水位超过 323m 的天数，从 1974～1985 年的 46 天左右，到 1986～1992 年的 30 天左右，1993 年以后只有 1998 年的 10 天。水位超过 315 m 和 317 m 的天数也都有不同程度减少。水位超过 310 m 天数略有增加，年均从 1974～1985 年的 210 天增加到 1986～2000 年的 216 天。

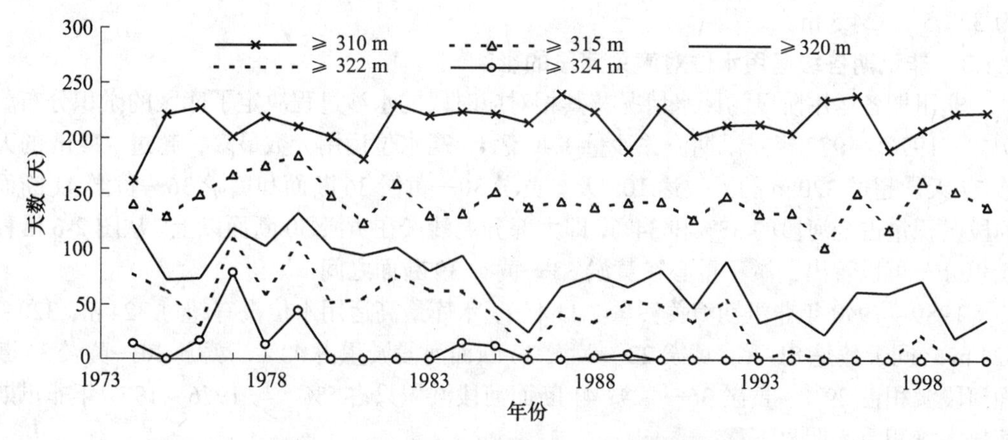

图 2-4　史家滩非汛期各级运用水位天数变化

从表 2-8 可以看出，与 1974～1985 年相比，1986～1992 年史家滩水位在 310～315 m、315～320 m 范围内的天数增多，在 320～322 m、322～324 m 和大于 324 m 天数减少。而 1993 年以来，运用水位在 310～315 m、315～320 m 的天数继续增多，特别是 315～320 m 的天数，从 1974～1985 年的平均 54 天，增加到 1993～2000 年的 92 天。运用水位在 320～322 m 之间的天数也有较大变化，1974～1985 年为 29 天，1986～1992 年为 25 天，1993～2000 年增加到 40 天。

表 2-8　史家滩非汛期不同水位级平均天数及对应潼关平均沙量

时段	项目	$H \geq 310$ m	310 m $\leq H$ <315 m	315 m $\leq$ $H<320$ m	320 m $\leq$ $H<322$ m	322 m $\leq$ $H<324$ m	$H \geq 324$ m
1974～1985 年	天数(天)	210	61	54	29	49	16
1986～1992 年		216	76	75	25	38	1
1993～2000 年		217	81	92	40	4	0
1974～2000 年		213	71	71	31	33	7
1974～1985 年	潼关沙量(亿 t)	1.345	0.391	0.349	0.202	0.317	0.086
1986～1992 年		1.879	0.678	0.676	0.201	0.312	0.012
1993～2000 年		1.670	0.430	0.799	0.396	0.045	0
1974～2000 年		1.580	0.477	0.567	0.259	0.235	0.041

2.1.2 非汛期不同运用水位的回水影响范围

库区的回水影响范围受水库运用水位和库区边界条件(主要是纵比降)的影响。在库区纵比降变化不大的情况下，库区的回水影响范围主要取决于水库的运用水位。三门峡库区的回水影响范围，可以直接利用库区实测水位资料分析确定，即用库区两水位站的水位差与坝前水位点绘相关关系确定。当在非汛期入库流量变化不大时，水位差若出现明显变小，表明两站中的下游水位站直接受到回水影响。分析成果见图2-5。由图可以看出，直接受到回水影响的临界库水位北村约308 m、大禹渡为314～315 m、坫埼约320 m。由于潼关以上河道情况不同，潼关站受回水影响的临界库水位需用另外的方法确定，如据桃汛冲刷资料分析，可得知潼关受回水影响的库水位为323.5～324.5 m。

2.1.3 非汛期各级运用水位对潼关河段的影响

非汛期各运用阶段的回水情况及其相对应时段的水沙过程决定了库区的淤积分布。例如，1976～1977年非汛期潼关沙量1.40亿t，高水位运用天数最多，超过324 m的天数77天，超过320 m的天数达105天。黄淤30—黄淤36断面和黄淤36—黄淤41断面河段淤积量占全河段的33%和34%，即大部分泥沙淤在黄淤30断面以上。从图2-6沿程淤积分布可以看出，淤积重心在黄淤33—黄淤39断面之间。

1989～1990年非汛期潼关沙量2.11亿t，水库最高运用水位没有超过324 m，320～324 m之间天数是81天。黄淤22—黄淤30断面河段淤积占43%，黄淤30—黄淤36断面河段淤积占29%，黄淤36—黄淤41断面河段淤积只占5%。与1976～1977年非汛期相比，淤积重心明显下移。

1998～1999 年非汛期潼关沙量 1.20 亿 t，水库最高运用水位不超过 322 m，大于320 m的天数只有20天，黄淤22—黄淤30断面河段淤积量占52%，黄淤30—黄淤36断面和黄淤36—黄淤41断面河段淤积量分别占24%和5%，与1989～1990年相比，黄淤30—黄淤41断面淤积量减少。

分析潼坫段(潼关至坫埼段)非汛期淤积规律，把史家滩水位 H_{sjt} 分成大于 324 m、324～322 m、322～320 m，点绘其对应潼关沙量与潼坫段非汛期淤积量关系有：

$$\Delta W_{tg-gd} = 0.640W_{s1}+0.152W_{s2}+0.051W_{s3}+0.002 \tag{2-1}$$

式中 ΔW_{tg-gd}——非汛期潼坫段淤积量，亿m^3；

W_{s1}——$H_{sjt} \geqslant 324$ m对应的潼关来沙量，亿t；

W_{s2}——324 m$>H_{sjt} \geqslant 322$ m时对应的潼关来沙量，亿t；

W_{s3}——322 m$>H_{sjt} \geqslant 320$ m时对应的潼关来沙量，亿t。

计算值与实测值的对比见图2-7(a)。从式(2-1)可知，W_{s1}、W_{s2}和W_{s3}的系数逐渐减小。W_{s1}的系数最大，说明W_{s1}、W_{s2}和W_{s3}相同时，W_{s1}对潼坫段淤积影响最为严重，W_{s2}次之，W_{s3}最小。若W_{s2}大于W_{s1}的5倍，W_{s2}对潼坫段的淤积影响就超过W_{s1}；若W_{s3}大于W_{s2}的3倍，W_{s3}对潼坫段的淤积影响就超过W_{s2}。

坫大段(坫埼至大禹渡河段)非汛期淤积量与水库不同级别运用水位对应潼关沙量的关系为：

$$\Delta W_{gd-dyd} = 0.488W_{s1}+0.416W_{s2}+0.375W_{s3}+0.198 \tag{2-2}$$

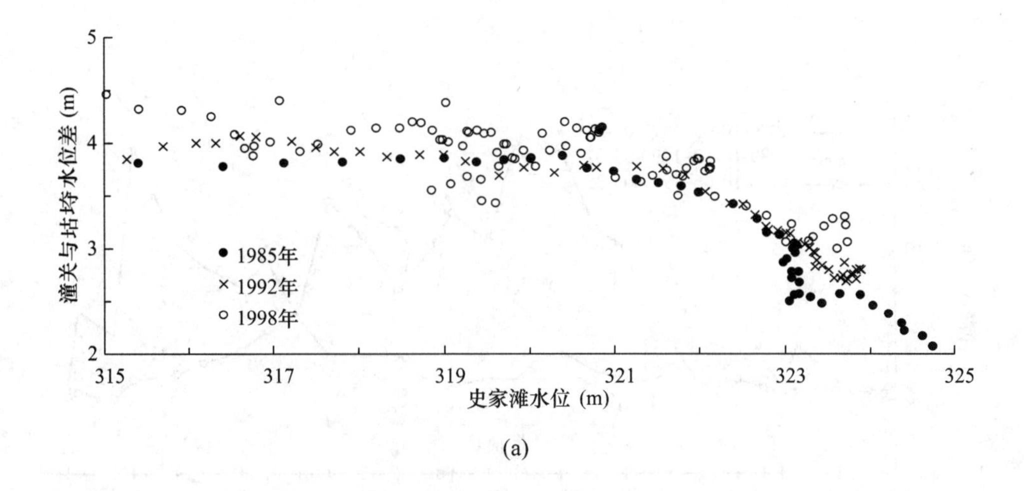

(a)

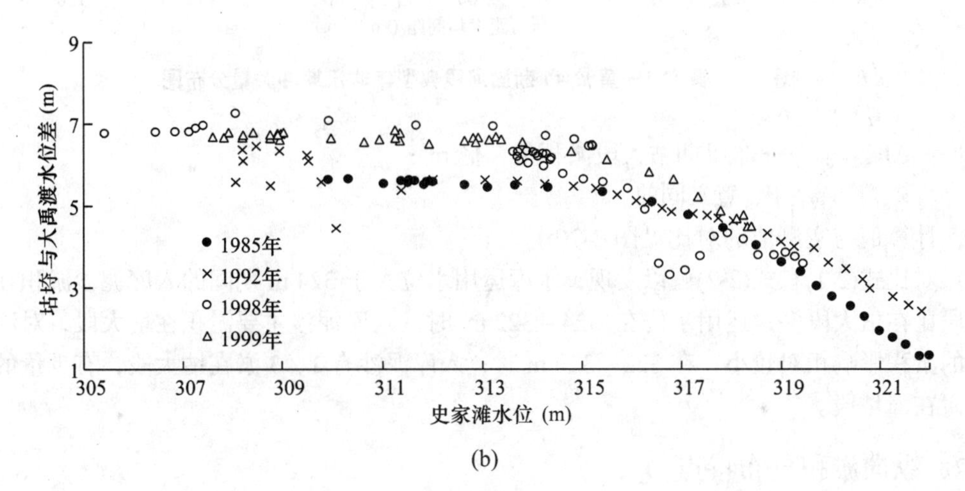

(b)

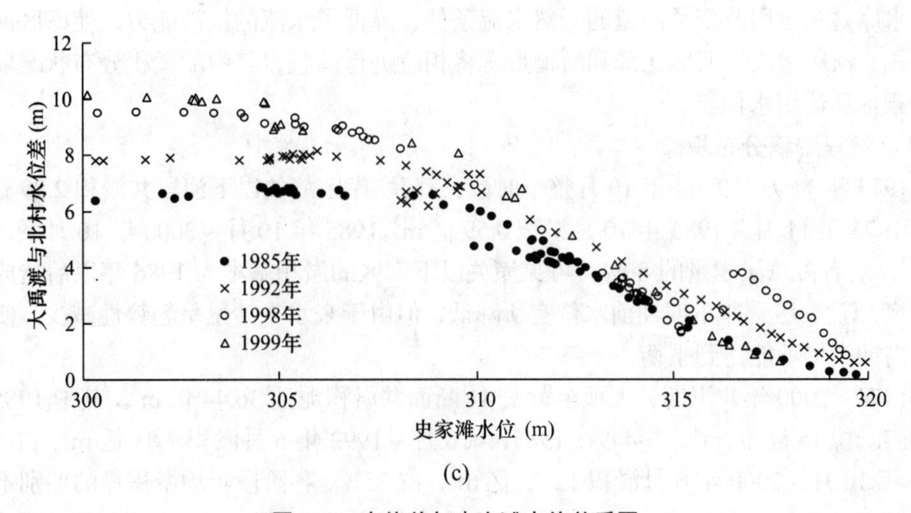

(c)

图 2-5　水位差与史家滩水位关系图

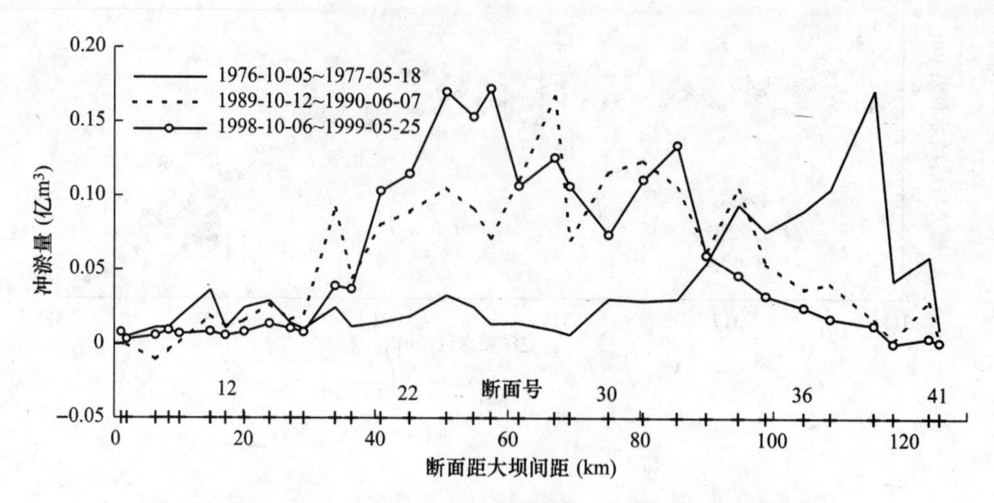

图 2-6　黄淤 1—黄淤 41 断面河段典型年非汛期冲淤量分布图

式中　ΔW_{gd-dyd}——非汛期坫大段淤积量，亿 m^3；

　　　W_{s1}、W_{s2}、W_{s3} 意义同前。

计算值与实测值的对比见图 2-7(b)。

对比式(2-1)和式(2-2)可以发现，水库运用水位大于 324 m 期间的入库泥沙淤积在潼坫段比在坫大段多；运用水位在 324～322 m 时，入库泥沙主要淤积在坫大段，对潼坫段的淤积影响相对较小；在 322～320 m 时，入库泥沙有 1／3 淤在坫大段，有少量的泥沙淤在潼坫段。

2.2　纵向淤积分布特点

水库蓄水运用改变了河道的天然水流条件，降低了水流的挟沙能力，使库区河床发生淤积，河床组成、河床比降和河槽形态将相应进行调整，其中的淤积分布状况取决于水沙条件和运用水位。

2.2.1　沿程淤积分布规律

1973 年 11 月～2000 年 10 月整个时段，三门峡库区潼关以下河段共淤积 2.99 亿 m^3，其中 1973 年 11 月～1985 年 10 月淤积 0.59 亿 m^3，1985 年 10 月～2000 年 10 月淤积 2.40 亿 m^3，后者占总淤积量的 80%，可见潼关以下库区的淤积基本为 1986 年以后造成的。1986 年以后，尽管非汛期坝前水位有所降低，但由于来水来沙量呈趋势性减少，使得库区年内冲淤仍不能达到平衡。

1974～2000 年非汛期，大坝至黄淤 41 断面共淤积泥沙 36.44 亿 m^3。其中 1985 年 6 月以前淤积 15.86 亿 m^3，占 44%；1985 年 10 月～1992 年 6 月淤积 7.83 亿 m^3，占 21%；1992 年 10 月～2000 年 6 月淤积 12.75 亿 m^3，占 35%。各阶段年均淤积量的差别不是很大，1992 年 9 月～2000 年 6 月最多，为 1.59 亿 m^3；1973 年 11 月～1985 年 6 月次之，为 1.32 亿 m^3；1985 年 10 月～1992 年 6 月最少，为 1.12 亿 m^3。

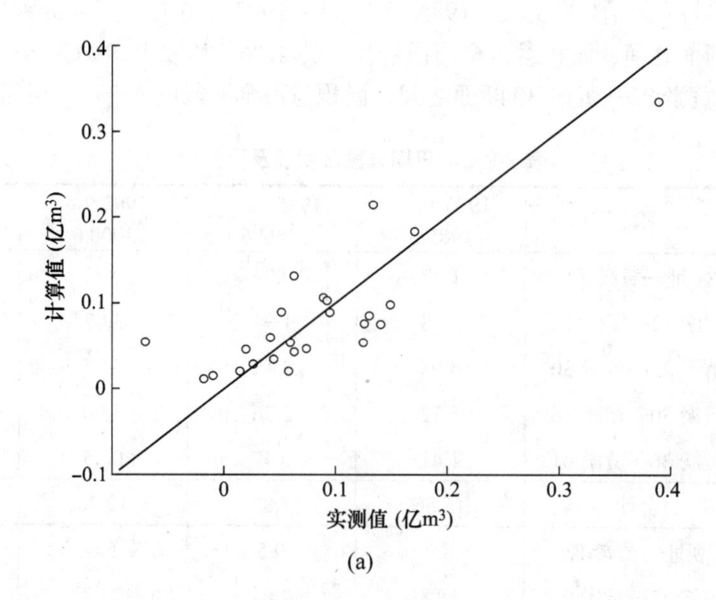

(a)

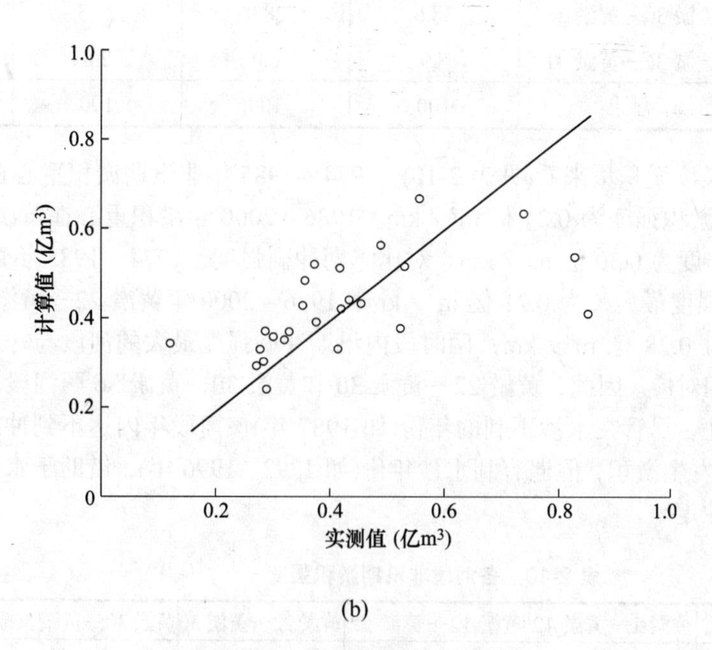

(b)

图 2-7　计算值与实测值关系图

受水库蓄水位高低的影响，不同时期泥沙淤积的部位也有变化。1973 年 11 月 ~ 2000 年 6 月非汛期泥沙主要淤积在黄淤 22—黄淤 36 断面之间，淤积量为 24.34 亿 m^3，占淤积总量的67%。黄淤22—黄淤30断面和黄淤30—黄淤36断面分别淤积12.96亿 m^3 和11.38亿 m^3。其中1973年11月～1985年6月非汛期泥沙主要淤在黄淤30—黄淤36断面之间，淤积量占全河段的39%；1985年10月～1992年6月非汛期泥沙主要淤在黄淤22—黄淤30断面之间，淤积量占全河段淤积量的40%；1992年9月～2000年6月，泥沙仍主要淤在黄淤22—黄淤30断面之间，淤积量占全河段的45%。详细情况见表2-9。

表2-9　非汛期分段淤积量及百分比

项目	河段	1973.11～1985.6	1985.10～1992.6	1992.9～2000.6	1973.11～2000.6
淤积量(亿 m^3)	坝址—黄淤12	1.27	0.04	0.72	2.03
	黄淤12—黄淤22	2.98	1.94	3.02	7.94
	黄淤22—黄淤30	4.08	3.12	5.77	12.96
	黄淤30—黄淤36	6.12	2.26	3.00	11.38
	黄淤36—黄淤41	1.41	0.47	0.25	2.12
	合计	15.86	7.83	12.76	36.43
百分比(%)	坝址—黄淤12	8.0	0.5	5.6	5.6
	黄淤12—黄淤22	18.8	24.7	23.7	21.8
	黄淤22—黄淤30	25.7	39.9	45.2	35.6
	黄淤30—黄淤36	38.6	28.9	23.5	31.2
	黄淤36—黄淤41	8.9	6.0	2.0	5.8
	合计	100	100	100	100

从单位长度淤积量来看(见表2-10)，1974～1985年非汛期淤积重心在黄淤30—黄淤36断面，淤积强度为0.21亿 m^3 / km。1986～2000年淤积重心在黄淤22—黄淤30断面，淤积强度为0.30亿 m^3 / km。对比汛期冲刷强度，1974～1985年黄淤30—黄淤36河段冲刷强度最大，为0.21亿 m^3 / km；1986～2000年黄淤22—黄淤30河段冲刷强度最大，为0.28亿 m^3 / km；两时段内汛期冲刷强度最大的河段与非汛期淤积强度最大的河段相对应。因此，黄淤22—黄淤30和黄淤30—黄淤36两河段均具有大冲大淤的冲淤特性。尽管在水沙不利的年份(如1987年)该河段年内达不到冲淤平衡，甚至连续2～3年发生淤积，但遇有利水沙年份(如1992、1996年)，借助于水库运用均能将前期淤积物冲走。

表2-10　各河段非汛期淤积强度　（单位：亿 m^3 / km）

时段	黄淤1—黄淤12	黄淤12—黄淤22	黄淤22—黄淤30	黄淤30—黄淤36	黄淤36—黄淤41
1974～1985年	0.07	0.11	0.14	0.21	0.07
1986～2000年	0.04	0.18	0.30	0.18	0.03

2.2.1.1　*黄淤1—黄淤30河段*

非汛期坝前水位为315 m左右时，回水可影响到大禹渡，因此该河段非汛期基本处于回水影响之中；而汛期坝前水位降低引起的溯源冲刷也大多能延伸到大禹渡以上，因此黄淤 1—黄淤 30 河段的冲淤变化直接受水库运用的影响。由于水库影响的程度不同，再加上河道地形的差异及冲淤的沿程调整，黄淤 1—黄淤 12、黄淤 12—黄淤 22、黄淤 22—黄淤 30 各河段冲淤变化也不尽相同。1974 年以前，三门峡库区经历了较长时期的敞泄排沙后，库区大量冲刷，形成了高滩深槽。自 1974 年蓄清排浑控制运用后，库区开始回淤。由表 2-11 可知，1974 ~ 1985 年黄淤 30 断面以下河段的回淤主要发生在 1974 年，其非汛期(1973 年汛后 ~ 1974 年汛前)淤积量为 0.47 亿 m^3，汛期仅冲刷 0.04 亿 m^3，年内淤积 0.43 亿 m^3，比 1975 ~ 1985 年该河段累积淤积量还多。1986 ~ 2000 年各河段均淤积严重，黄淤 1 ~ 12 河段淤积主要发生在 1990 年以后，仅 1997 ~ 2000 年的淤积即占总淤积量的 42%。该河段淤积严重的年份多为汛期水量和洪水较少的年份，其冲淤变化除受潼关来水来沙影响之外，还与水库运用有关。

表 2-11　黄淤 30 断面以下不同时期冲淤量分布　　（单位：亿 m^3）

时段	黄淤 1—黄淤 12	黄淤 12—黄淤 22	黄淤 22—黄淤 30	黄淤 1—黄淤 30
1974 年非汛期	0.030 3	0.125 4	0.314 4	0.470 1
1975 ~ 1985 年	0.058 2	0.350 3	–0.044 8	0.363 7
1986 ~ 2000 年	0.411 7	0.261 2	0.506 6	1.179 5

图 2-8 为 1974 ~ 2000 年黄淤 12—黄淤 22 河段汛期、非汛期及年内累积冲淤过程。可以看出汛期冲刷、非汛期淤积的特点非常明显。其非汛期淤积量占库区总淤积量的百分数平均为 22%，其中 1974 ~ 1985 年为 19%，1986 ~ 2000 年为 24%。

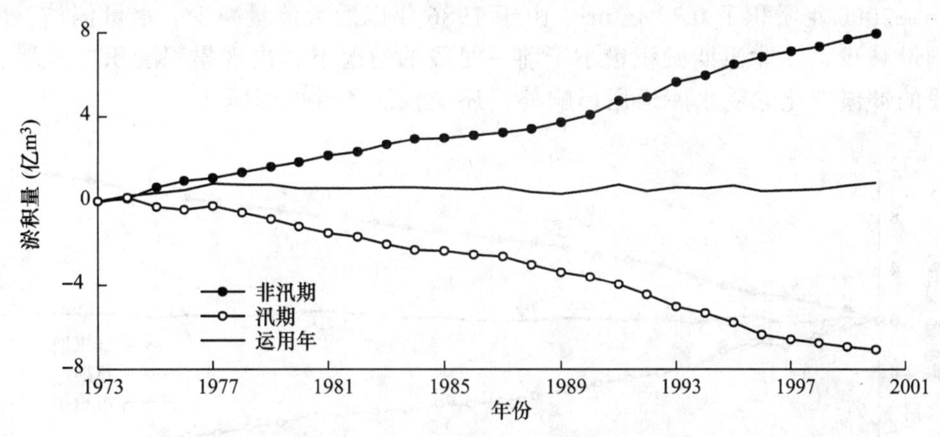

图 2-8　黄淤 12—黄淤 22 河段汛期、非汛期及年内累积冲淤过程

黄淤 22—黄淤 30 断面经常处于回水变动区，从图 2-9 可见，其汛期冲刷、非汛期淤积的特点更为明显。该河段 1974 ~ 2000 年非汛期共淤积泥沙 12.96 亿 m^3，占全库区总淤积量的 36%。其中 1974 ~ 1985 年为 26%，1986 ~ 2000 年为 43%。汛期冲刷与非汛期相应，1974 ~ 2000 年共冲刷 12.36 亿 m^3，其中 1974 ~ 1985 年冲刷 3.99 亿 m^3，1986 ~ 2000 年冲刷 8.38 亿 m^3。因此，该河段在非汛期为主要滞沙区，而汛期又是主要的冲刷区，年内呈大淤大冲的冲淤特点。

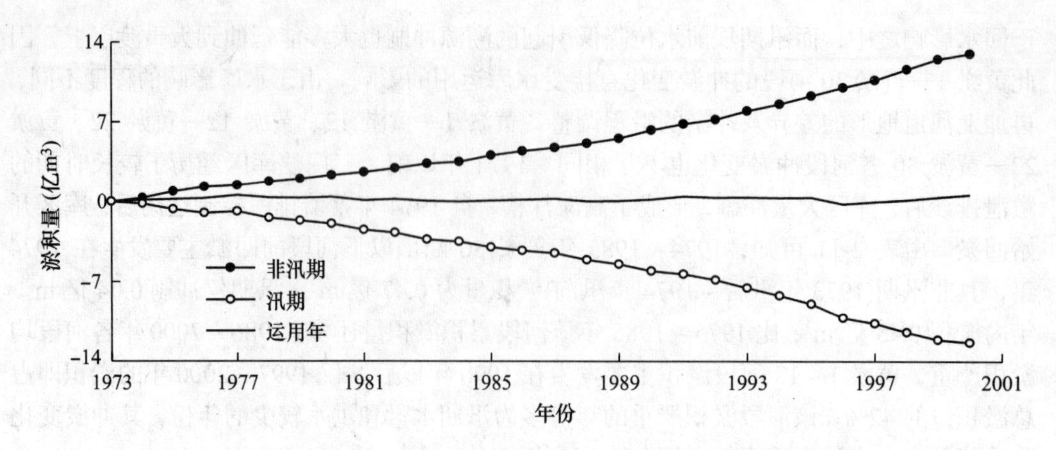

图 2-9　黄淤 22—黄淤 30 河段汛期、非汛期及年内累积冲淤过程

2.2.1.2　黄淤 30—黄淤 41 河段

该河段又可分为黄淤 30—黄淤 36 和黄淤 36—黄淤 41 两段。黄淤 30—黄淤 36 与黄淤 22—黄淤 30 河段冲淤特点类似，即非汛期大淤、汛期大冲，如图 2-10 所示。从非汛期累积冲淤过程来看，1974 ~ 2000 年黄淤 30—黄淤 36 河段淤积 11.38 亿 m^3，其中 1974 ~ 1985 年淤积 6.12 亿 m^3，占全库段同时期淤积量的 38%；1986 ~ 2000 年淤积 5.26 亿 m^3，占全库段同时期淤积量的 26%，可见 1974 ~ 1985 年非汛期该河段为库区主要的滞沙区，1986 年以后其滞沙作用次于黄淤 22—黄淤 30 河段。1974 ~ 2000 年全年累积淤积 0.56 亿 m^3，其中 1974 ~ 1985 年冲刷了 0.16 亿 m^3，1986 ~ 2000 年淤积了 0.72 亿 m^3。由于 1986 年以后大流量减少、水量偏枯，库区冲刷量减少，在非汛期淤积量小于前一时段的情况下，出现累积淤积。显然，该河段的冲淤变化除受水库运用影响外，还受水沙条件的影响。

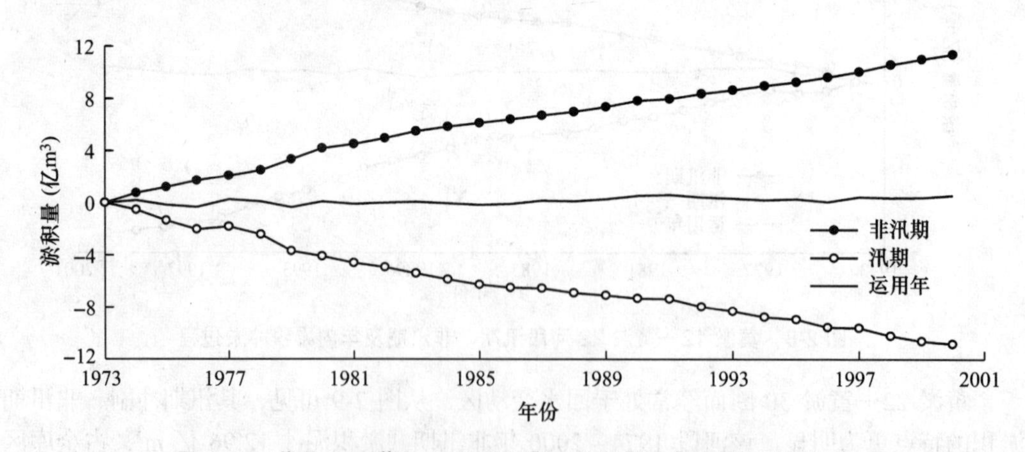

图 2-10　黄淤 30—黄淤 36 河段汛期、非汛期及年内累积冲淤过程

黄淤 36—黄淤 41 河段冲淤变化受水库影响程度小于其他河段，从图 2-11 可见，该河段也基本上为汛期冲、非汛期淤。但是，当汛期水量小、洪水小时，汛期也会发生淤积。该河段 1974 ~ 2000 年非汛期淤积 2.12 亿 m^3，汛期冲刷 1.74 亿 m^3，累积淤积

0.38 亿 m³，其中 1974～1985 年冲刷了 0.12 亿 m³，1986～2000 年淤积了 0.50 亿 m³，冲淤变幅较小。

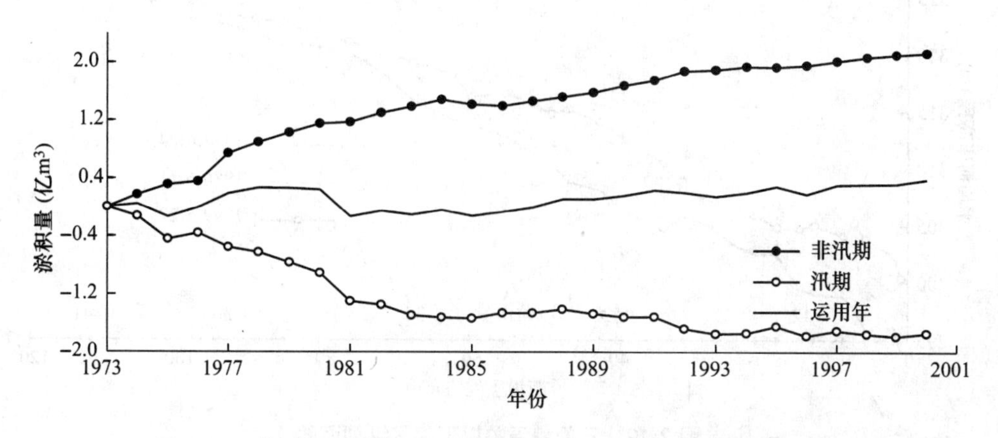

图 2-11　黄淤 36—黄淤 41 河段汛期、非汛期及年内累积淤积过程

2.2.2　纵剖面变化

三门峡水库的淤积形态主要与坝前运用水位有关，坝前水位高，其淤积重心偏上，淤积形态基本为三角洲；坝前水位低，其淤积重心偏下，当坝前水位低于 310 m 时，淤积纵剖面基本为锥体分布。从库区各断面历年汛前河槽平均河底高程来看，库区淤积三角洲顶点与坝前运用水位关系密切。1974～1985 年，三角洲顶点基本在黄淤 30—黄淤 36 之间变动。这期间 1977 年坝前运用水位最高，非汛期平均水位 318.35 m，最高日均水位达 325.95 m，坝前水位大于 324 m 的天数为 77 天，库区淤积重心在黄淤 30—黄淤 41 河段，三角洲顶点达到黄淤 36 断面附近；其他年份淤积重心均在黄淤 30—黄淤 36 河段，三角洲顶点多在黄淤 30 断面附近。1986 年以后，三角洲顶点基本在黄淤 22—黄淤 30 河段之间变动，1993 年坝前水位最低，非汛期平均水位 314.49 m，最高日均水位 321.6 m，坝前水位大于 322 m 的只有 9 天，大于 320 m 的有 43 天。因此，库区淤积重心在黄淤 12—黄淤 30 河段，三角洲顶点在黄淤 22 断面附近。1994 年以后多在黄淤 24—黄淤 26 断面之间。

图 2-12 显示了潼关以下库区 1974、1986、1999 年纵剖面变化过程。由图可见，1999 年汛前库区平均河底高程较 1974、1986 年汛前均有明显抬升，其三角洲顶点也向坝前推移。1974 年三角洲顶点在黄淤 33 断面附近，1986 年在黄淤 30 断面附近，而到 1999 年下移到黄淤 23 断面附近。1999 年非汛期坝前平均水位尽管较 1986 年偏高 0.59 m，但日均水位大于 320 m 的天数只有 20 天，大于 322 m 的天数为 0；而 1986 年非汛期大于 320 m 的天数为 25 天，大于 322 m 的天数为 8 天。虽然 1986、1999 年库区淤积重心均在黄淤 22—黄淤 30 断面之间，但 1999 年黄淤 22—黄淤 30 断面之间淤积占全河段 52.4%，而 1986 年占 46.9%；1999 年非汛期黄淤 30—黄淤 36 河段淤积量占全河段 23.6%，1986 年非汛期为 35.97%。可见，1999 年三角洲顶点较 1986 年更趋近于坝前。

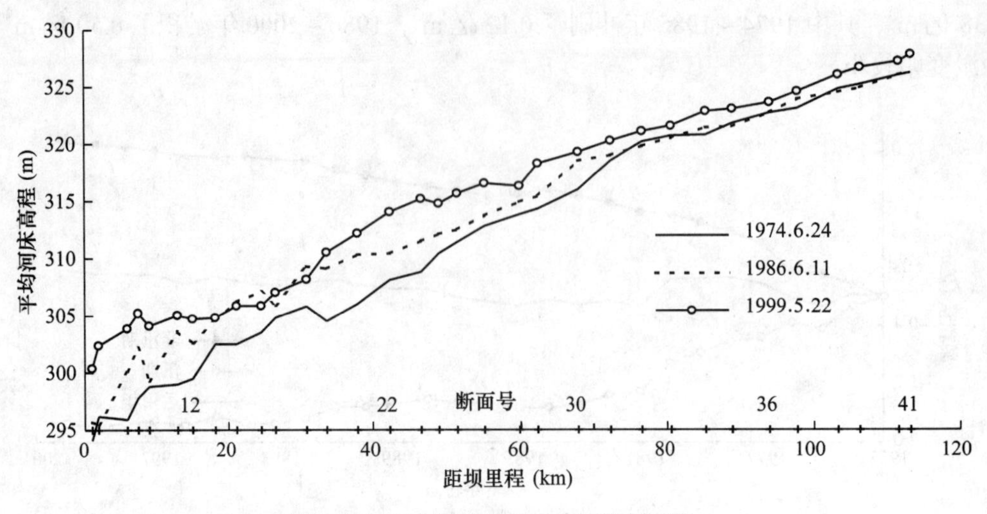

图 2-12　三门峡潼关以下库区纵剖面图

2.3　横向冲淤分布及调整

2.3.1　横向冲淤分布

潼关以下库区经过 1970～1973 年敞泄冲刷后，形成了高滩深槽。一般洪水很少漫滩，大洪水时也只有部分河段漫滩，其冲淤主要发生在主槽内。对于一些相对较宽的断面，如黄淤 33、黄淤 37、黄淤 38 断面等，由于河道不稳定，其河槽宽度往往发生很大的变化，主槽、滩地难以划分。因此，根据 1974～2000 年各断面的变化范围，确定河槽平均变化宽度，计算 1974 年 6 月～1985 年 6 月、1986 年 6 月～2000 年 6 月两个时段的主河槽冲淤量，见表 2-12。

表 2-12　各河段主槽、全断面冲淤量　（单位：亿 m^3）

河　段	1974.6～1985.6		1986.6～2000.6	
	主河槽	全断面	主河槽	全断面
黄淤 1—黄淤 12	0.112 0	0.150 0	0.325 6	0.334 5
黄淤 12—黄淤 22	0.572 4	0.627 0	0.048 5	0.251 3
黄淤 22—黄淤 30	0.227 0	0.156 9	0.311 6	0.375 2
黄淤 30—黄淤 36	−0.491 6	−0.605 7	0.572 5	0.641 8
黄淤 36—黄淤 41	−0.403 8	−0.310 4	0.509 9	0.478 4
黄淤 1—黄淤 41	0.016 0	0.017 8	1.768 1	2.081 2

由表 2-12 可见，1974 年 6 月～1985 年 6 月主槽淤积量为 0.016 亿 m^3，占全断面淤积量的 90%；1986 年 6 月～2000 年 6 月主槽淤积量 1.768 1 亿 m^3，占全断面淤积量的 85%。由于有些断面(如黄淤 25、黄淤 28、黄淤 37、黄淤 38 断面等)变化较大，有时主流大范围摆动，使原有的滩地大量坍塌或重新形成新的滩面，因此有些河段滩地反而冲刷。

2.3.2 断面形态调整

2.3.2.1 黄淤 1—黄淤 30 河段

该河段基本上为三门峡库区 1973 年以前敞泄排沙形成的高滩深槽段。1974 年控制运用后，其冲淤变化主要在河槽内进行，滩面相对稳定，只有部分断面在大洪水时滩面有所淤积。除黄淤 19、黄淤 28、黄淤 29 等个别断面有时发生较大的摆动，其他断面相对稳定。断面调整特点为：非汛期河床淤高，有时贴边淤积，河槽面积减少；汛期坝前水位降低，河床发生冲刷，有时产生塌滩；冲淤变化的结果是河床形态变化不大。1986 年以后，主河槽在非汛期的淤积难以在汛期全部冲出库外，河槽淤积严重，河床高程抬升，使得河槽河相系数增大，河床形态向宽浅方向发展。

2.3.2.2 黄淤 30—黄淤 41 河段

该河段处于潼关以下库区尾部段，特别是黄淤 36—黄淤 41 河段往往为非汛期淤积末端，其河道相对于黄淤 30 以下河段比较宽浅。有些断面如黄淤 34、黄淤 38、黄淤 39 等，河槽宽度超过 2 000 m，水流散乱，沙洲、浅滩众多，主流经常发生摆动、游荡。黄淤 30—黄淤 41 河段断面形态大致分为 3 类：第一类为窄深型，如黄淤 30、黄淤 36 等断面，洪水时河槽冲深或展宽，小水时河槽淤积抬升；第二类为宽浅型，如上述黄淤 38、黄淤 39 等断面，河槽宽阔，河槽内串沟支汊多，水流散乱，主槽不明显，洪水时嫩滩落淤，河槽中形成深槽，而深槽又极不稳定，洪水过后往往被水流冲蚀坍塌；第三类为较稳定的复式断面，如黄淤 32 等，该断面河槽宽 3 000 m 左右，河槽内总是存在一个宽 1 300 m 左右深槽，深槽面积 3 600 ~ 4 000 m^2，占同期河槽面积的 32.6% ~ 30%，流量小于 3 000 ~ 4 000 m^3/s 的一般洪水主要在深槽内运行，超过这一流量则全槽行洪。由于该断面河槽宽大，因此漫滩洪水出现的机遇很少。这一断面的调整主要是深槽的冲刷或淤积，其河床形态变化不大。

(1)汛期及洪水期断面形态调整。黄淤 30—黄淤 41 河段汛期冲刷主要发生在洪水期，因而洪水期(特别是高含沙洪水期)河床断面调整十分剧烈。如 1977 年 7 月上旬，潼关发生了洪峰流量为 13 600 m^3/s、含沙量为 616 kg/m^3 的高含沙洪水，黄淤 33—黄淤 41 河段均发生了强烈冲刷，洪水过后河槽面积增加 2 523 m^2，其中黄淤 34 河槽面积由 4 162 m^2 增到 8 289 m^2；黄淤 36 断面河槽面积增加 3 264 m^2，增加了 3 倍；黄淤 32 断面尽管河槽面积减少 750 m^2，但其河槽中深槽面积却增加了 975 m^2，深槽宽度由 1 477 m 缩窄到 772 m，深槽河相系数由 19.2 减为 5.5，河型变得更加窄深。该场洪水过后，黄淤 30—黄淤 41 河段河槽平均宽度由 1 433 m 减为 1 371 m，河相系数由 11.3 减为 7.0。1992 年 8 月潼关出现洪峰流量为 4 040 m^3/s、最大含沙量为 297 kg/m^3 的洪水，该河段所有断面都发生了冲刷，且冲刷强度自上而下有逐渐增大的趋势。如黄淤 36—黄淤 41 河段河槽平均面积增大 780 m^2，黄淤 30—黄淤 36 河段增大 1 770 m^2，全河段河槽平均面积由 3 127 m^2 增大到 4 403 m^2，河相系数由 18.6 减小到 11.4。同样，1996 年潼关发生了流量为 4 230、7 400 m^3/s，含沙量为 280、263 kg/m^3 的两场洪水后，汛后实测大断面反映出全河段普遍冲刷，且冲刷强度依然有自上而下增加的趋势。以黄淤 36 断面为分界(面积增加 54 m^2)，黄淤 36—黄淤 41 各断面平均冲刷 1 410 m^2，黄淤 30—黄淤 35 平均冲刷 2 161 m^2；河相系数上段由 17.3 减小为 12.5，下段由 14.5 减小为 9.4。除 1977 年 8 月洪水外，其他场次洪水对该河段河床塑造的结果均表现为河槽冲刷、淤嫩滩成深槽、河相系数减小，河床形态趋于窄深。

(2)非汛期断面调整。非汛期的断面调整主要有3种形式：其一为河槽淤积，河床高程不断抬升，这种情况多发生在河槽较窄且比较稳定的断面，如黄淤30、黄淤36等断面。其二为塌滩(或嫩滩)淤槽，河床变宽浅，这类变化调整有时十分剧烈，如黄淤35断面1991年9月～1992年6月，左岸坍塌近200 m，河槽淤积290 m^2，河相系数由8.7增加到10.3；又如黄淤37断面，1975年10月～1976年3月河槽展宽1 060 m，河槽面积增大8 200 m^2，河底高程抬升0.48 m，河相系数由3.6增加到5.5。其三，由于河势变动引起的河槽中深槽摆动，如黄淤41断面1991年9月～1992年6月，河槽深泓线向右岸方向摆动约150 m；又如黄淤38断面，1992年洪水过后河槽中形成了宽1 000 m、面积为1 570 m^{2}深槽，至1993年5月深槽深泓线向右岸移动800 m左右。总之，各种形式的变化，总是向河槽面积减少、河型向宽浅的方向发展。

3　潼关以下库区汛期排沙规律分析

三门峡水库蓄清排浑运用以来，潼关以下库区非汛期淤积、汛期冲刷排沙。库区冲刷形式主要有溯源冲刷和沿程冲刷，其排沙过程主要分为：汛初6、7月份降低水位排沙；洪水期敞开闸门泄流排沙；平水期控制库水位300～305 m，即低水位控制运用排沙。

3.1　汛期排沙分析

有关水库的排沙问题，前人曾做过许多研究工作，对于不同的排沙和冲刷方式给出了多种计算公式。对于一个汛期或一场洪水，实际的排沙方式可能是滞洪排沙、壅水排沙和敞泄排沙，沿程冲刷和溯源冲刷等的相互交叉、混合、共同作用的结果。以下以实测资料为基础，将排沙过程分为汛初小水排沙、洪水期排沙和平水期排沙，分析不同水沙条件下的排沙特点，以及坝前水位对排沙的作用。

3.1.1　排沙总量

1974～1999年三门峡水库年均入库沙量9.01亿t，出库沙量9.29亿t，由此得出库区年均冲刷0.28亿t，而采用断面法则淤积0.091亿m^3，二者有较大差异。造成这种现象的主要原因有：临底含沙量和河道异重流的漏测问题、库区河道塌岸的影响、各年间淤积物容重的差异对冲淤量换算产生的影响等。为了分析三门峡水库排沙特点，在下文中将出库沙量与入库沙量的差值称为净排沙量。

表2-13为不同时期排沙特征统计，1974～1985年出库沙量大于入库沙量；1986～1995年进出库沙量基本相当；1996～1999年出库沙量小于入库沙量，库区呈累积性淤积。

1974～1999年三门峡水库汛期平均入库沙量7.23亿t，占全年的80.2%；出库沙量为8.90亿t，占全年的96%，是入库沙量的1.23倍，多排出泥沙1.67亿t。图2-13是历年汛期排沙变化过程。1977年为典型的多沙年份，黄河干流和渭河均出现高含沙洪水，汛期来沙量达20.6亿t，因高含沙洪水淤积浅滩、嫩滩，冲刷主槽，而滩地淤积及非汛期淤积物难以冲刷排出库外，排沙比小于1.0；1986年为少沙年份，但坝前水位从7月

13 日～10 月 7 日控制在 300 m 左右低水位状态，排沙比达 1.79，为历年最高值。

表 2-13　不同时期三门峡水库年均出库沙量及排沙量

项目	时段	7月	8月	9月	10月	7～8月	汛期	运用年	7～8月占汛期百分比(%)
出库沙量(亿 t)	1974～1985 年	3.231	4.099	2.331	1.213	7.330	10.874	11.210	67.4
	1986～1995 年	2.535	3.586	1.196	0.220	6.121	7.537	8.085	81.2
	1996～1999 年	3.481	2.724	0.167	0.037	6.205	6.409	6.537	96.8
	1974～1999 年	3.002	3.690	1.562	0.650	6.692	8.904	9.290	75.2
出库含沙量(kg/m^3)	1974～1985 年	73.8	65.1	34.5	19.9	68.7	46.3		
	1986～1995 年	82.7	79.8	33.0	11.7	81.0	57.7		
	1996～1999 年	157.8	87.7	8.9	3.2	116.8	76.7		
	1974～1999 年	84.8	72.2	32.5	17.5	77.4	51.9		
净排沙量(亿 t)	1974～1985 年	0.762	0.549	0.465	0.251	1.311	2.027	0.755	64.7
	1986～1995 年	0.726	0.738	0.094	–0.018	1.464	1.540	0.085	95.0
	1996～1999 年	0.997	0.240	–0.153	–0.107	1.237	0.977	–0.653	126.6
	1974～1999 年	0.784	0.574	0.228	0.092	1.358	1.678	0.281	80.9
排沙比	1974～1985 年	1.31	1.15	1.25	1.26	1.22	1.23	1.072	
	1986～1995 年	1.40	1.26	1.09	0.92	1.31	1.26	1.011	
	1996～1999 年	1.40	1.10	0.52	0.26	1.25	1.18	0.910	
	1974～1999 年	1.35	1.18	1.17	1.17	1.25	1.23	1.030	

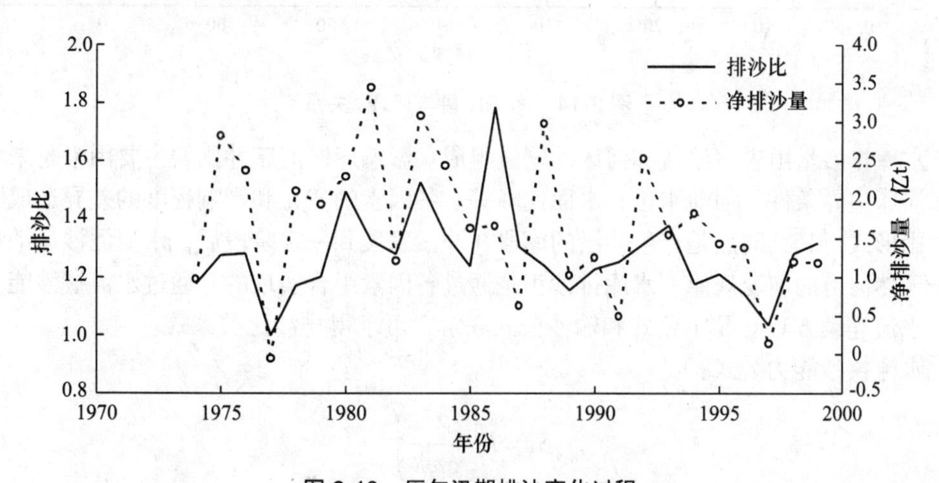

图 2-13　历年汛期排沙变化过程

由于坝前水位和来水来沙条件变化，汛期各月具有不同的排沙特点。1974～1985 年汛期平均净排沙量 2.03 亿 t，7、8 月份占汛期 65%，各月排沙比 7 月份较大，8 月份较小。1986～1995 年汛期净排沙量 1.54 亿 t，7、8 月份占 95%，汛期排沙比为 1.26，7 月份的排沙比最大为 1.4，9、10 月份接近于 1.0。1996～1999 年 7、8 月份水沙量相对集中，入库沙量占汛期的 91.5%，水库冲刷和排沙也集中在 7、8 月份，相应排沙量占汛期 96.8%；9、10 月份入库水沙量大幅度减小，库水位抬高，排沙比小于 1.0。

从进、出库含沙量的变化来看，1986～1995 年 7、8 月份入库含沙量为 60 kg / m^{3}左右，出库在 80 kg / m^{3}以上，9、10 月份进出库相差不大；1996～1999 年 7 月份入库含沙量为 104 kg / m^3，出库达 158 kg / m^3，而 9、10 月份出库小于 10 kg / m^3，也小于入库含沙量。可见，排沙主要集中在 7、8 月份，1996 年之后更加显著。

根据泥沙运动理论，水流能量是泥沙输移的主要动力。以 $\gamma' WJ$(γ'为浑水容重，t / m^3；W 为汛期水量，亿 m^3；J 为潼关至坝前的比降)表示水流总能量，与净排沙量 ΔW_s建立关系，见图 2-14。1977 年高含沙洪水期，坝前水位高达 317 m，库区壅水造成漫滩淤积，若不考虑其特殊情况影响，其相关系数增至 0.81，关系式为：

$$\Delta W_s=0.046\,3\,\gamma' WJ \tag{2-3}$$

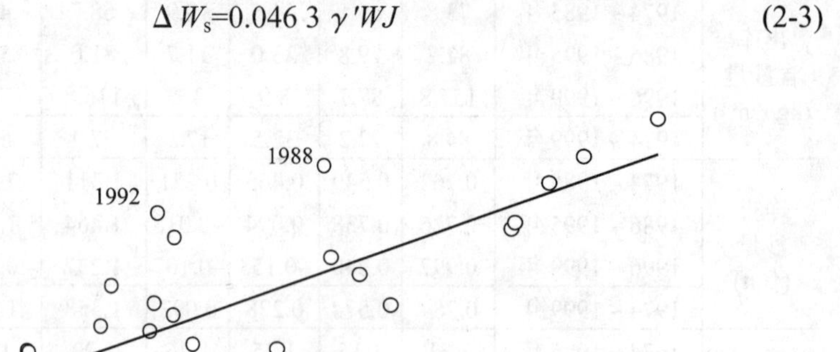

图 2-14　净排沙量与$\gamma' WJ$关系

水库排沙量由进库沙量和河床冲刷量组成。影响库区河床冲刷的主要因素是来水来沙和河床边界条件、坝前水位、水面比降等。各因素的变化和影响程度的差异造成不同的冲刷形式，其共同点是产生冲淤的库段在冲淤发展到一定阶段后，水流泥沙运动将接近于天然河道的演变规律。水库排沙正是通过各因素组合实现的，通过水流挟沙能力公式、水流连续方程、曼宁公式和输沙公式联解，可求得排沙比关系式。

水流挟沙能力公式：

$$S_* = K\left(\frac{V^3}{g\omega R}\right)^m \tag{2-4}$$

式中　S_*——水流挟沙能力；

K——系数；

V——水流流速；

ω——泥沙颗粒沉速；

R——水力半径；

m——指数。

水流连续方程：

$$Q = BhV \tag{2-5}$$

式中　B——河宽；

　　h——水深；

　　V——水流流速。

曼宁公式：

$$V = \frac{1}{n} J^{1/2} R^{2/3} \tag{2-6}$$

式中　V——水流流速；

　　n——糙率系数；

　　J——比降；

　　R——水力半径。

假定进、出库流量相等 $Q_0=Q_i=Q$，且 $h=R$，$m=1$。那么：

入库输沙率　$Q_{si}=Q_iS=QS$

出库输沙率　$Q_{s0}=Q_0S_*=QS_*$

排沙比为 η，则

$$\eta = \frac{Q_{S0}\Delta T}{Q_{Si}\Delta T} \tag{2-7}$$

将式(2-4)~式(2-6)及假定条件代入式(2-7)，经过推导和变换可得：

$$\eta = \left(\frac{K}{g\omega n^2}\right)\left(\frac{1}{Bh^{2/3}}\right)\frac{Q}{S}\cdot J \tag{2-8}$$

来沙系数 S/Q 表示在单位流量中的含沙量，用来表示水流输沙能力处在不饱和、饱和或超饱和状态，当 S/Q 比较小时，在相同水流条件下冲刷能力强，反之则弱。水面比降 J 代表水流能坡，反映水体具有的势能。

实测资料相关分析表明，排沙比 η 与潼关站来沙系数 S/Q 和潼关至坝前水面比降 J 有比较好的趋势关系，见图 2-15。其相关系数 0.77，并有关系式：

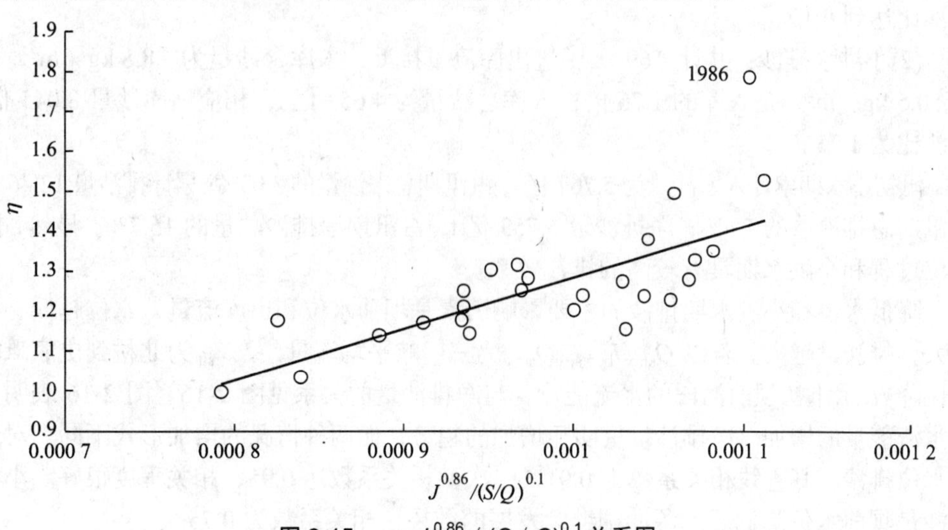

图 2-15　$\eta \sim J^{0.86}/(S/Q)^{0.1}$ 关系图

$$\eta=1\,290[J^{0.86}(S/Q)^{-0.1}] \tag{2-9}$$

在图 2-15 中，1986 年枯水少沙，整个汛期水库基本为敞泄排沙，排沙比达到历年的最高值。

3.1.2 汛初小水期排沙

在每年的 6 月末～7 月初，由于三门峡水库坝前水位一般都要下降到 305 m 上下或更低，所以汛初会出现较大的排沙比。汛初排沙统计以出库输沙率大于入库输沙率为前提，分两种情况：①降低水位排沙——因坝前水位降低造成溯源冲刷而产生的排沙；②小洪水排沙——潼关有洪水但洪峰流量小于 2 500 m^3/s，这时沿程和溯源冲刷相结合，增加出库沙量。

统计 1974～1999 年 6、7 月份降低水位冲刷和小洪水冲刷资料，其特征值见表 2-14。

表 2-14 汛初小水期排沙特征值(1974～1999 年 6、7 月份)

项目	次数	天数	平均流量(m^3/s)	水量(亿 m^3)	沙量(亿 t)	含沙量(kg/m^3)	净排沙量(亿 t)
	潼关						
降低水位	18	197	605	103.0	1.054	10.2	3.361
小洪水	16	169	1 108	161.8	4.653	28.8	3.392
总计	34	366	837	264.8	5.707	21.6	6.753
	三门峡						排沙比
降低水位	18	197	693	118.0	4.415	37.4	4.19
小洪水	16	169	1 091	159.4	8.045	50.5	1.73
总计	34	366	877	277.4	12.460	44.9	2.18

(1)降低水位排沙：累计 197 天，入库含沙量为 10.2 kg/m^3，同期出库为 37.4 kg/m^3，是入库的 3.67 倍；入库总沙量为 1.054 亿 t，相应出库沙量 4.415 亿 t，净排沙量 3.361 亿 t，排沙比达到 4.19。

(2)小洪水排沙：共计 169 天，进出库流量接近，入库含沙量为 28.8 kg/m^3，出库为 50.5 kg/m^3，是入库的 1.76 倍；入库总沙量为 4.653 亿 t，相应出库沙量 8.045 亿 t，排沙比为 1.73。

汛初小水期累计入库沙量为 5.707 亿 t，占汛期总来沙量的 3.03%；累计排沙量 12.46 亿 t，占汛期总排沙量的 5.4%；净排沙量 6.753 亿 t，占汛期净排沙总量的 15.7%。显然，降低水位过程和小洪水期具有较高的排沙效率。

降低水位和小洪水期排沙的主要影响因素是坝前水位和出库流量，水位越低、流量越大，排沙量越大。若以 $Q_{smx}J_{bc-sjt}$(Q_{smx} 为三门峡平均流量，J_{bc-sjt} 为北村到史家滩的水面比降)表示汛初坝前河段的水流能量，与净排沙量的关系见图 2-16。图 2-16 表明，随着水流能量的增加，净排沙量呈明显增加的趋势，但两种情况的增加形式不同。对于降低水位排沙，其直线相关系数为 0.91，二次型相关系数达 0.95，相关程度很好。小洪水排沙是坝前水位降低后溯源冲刷继续发展的结果，相关系数为 0.75。

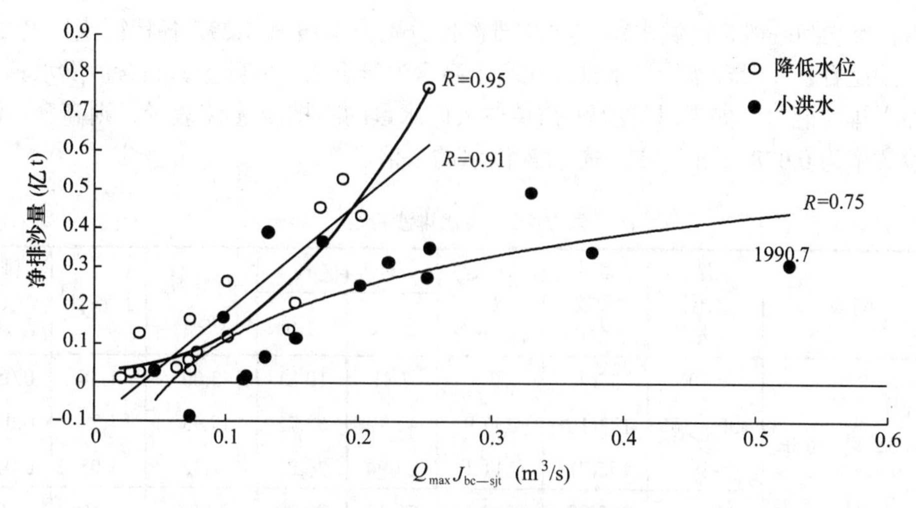

图 2-16　汛初小水期净排沙量关系图

考虑来沙系数和水面比降的共同影响，其关系如图 2-17，表明在相同的 $J_{tg-sjt}/(S/Q)^{0.35}$ 条件下，降低水位冲刷的排沙比大于小洪水的排沙比。在降低水位过程中，水库排沙是坝前水位直接作用的结果，其效果受坝前河床条件和水流条件的作用大，在同样的条件下净排沙量和排沙比相对较大。

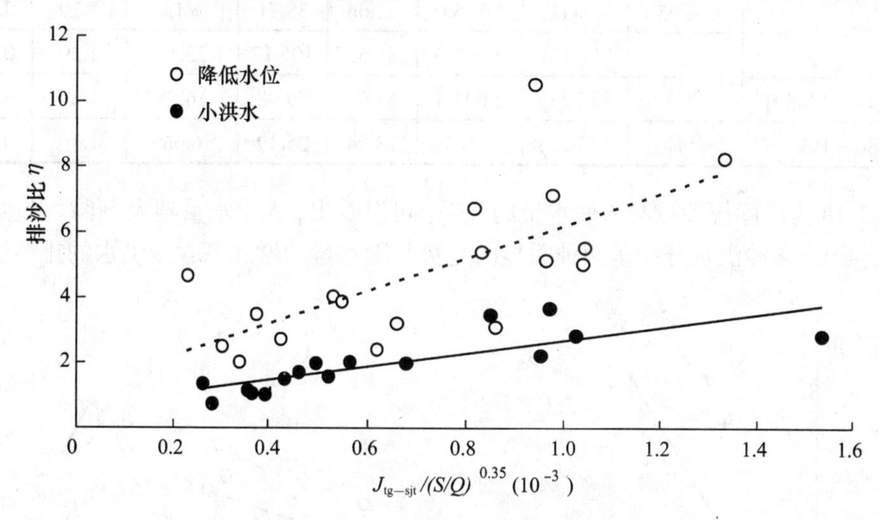

图 2-17　汛初小水期排沙比关系图

3.1.3　洪水期排沙分析

根据对 1974 ~ 1999 年 100 余场洪峰流量大于 2 500 m^3/s 的洪水资料分析，洪水期累计入库水量为 3 064 亿 m^3，相应入库沙量 157.2 亿 t，同期出库总沙量 195.0 亿 t，平均排沙比 1.24。洪水期入库水量占汛期的 68%，沙量占汛期的 83%，持续时间仅占汛期的 43.1%，净排沙量为 37.79 亿 t，为汛期净排沙量的 88%。即洪水期来水来沙量大，水库排沙量也大，汛期的排沙主要集中在洪水期。洪水可分为高含沙量洪水和一般含沙量洪水(洪水期潼关最大含沙量在 250 kg/m^3 以上、平均含沙量大于 100 kg/m^3 作为高含沙洪水，反之为一般含沙洪水)，其平均排沙比分别为 1.19 和 1.29，各特征值见表 2-15。单从排沙比看，一般含沙量洪水排沙比高于高含沙量洪水。实际上，高含沙洪水具有更大的冲刷排沙能力，如果以排沙效率(单位入库水量的净排沙量)来表示，则高含沙洪水的排沙效率为 0.028 t / m^3，是一般含沙洪水的 3 倍。

表 2-15　洪水排沙特征

类型	时段	坝前水位(m)	累计天数(场次)	潼关水量(亿 m^3)	沙量(亿 t)		净排沙量(亿 t)	排沙比	排沙效率(t / m^3)
					潼关	三门峡			
高含沙洪水	1974～1999 年	<300	37(4)	53.4	7.81	10.81	3.00	1.38	0.056 2
		300～305	173(16)	337.9	42.79	52.72	9.93	1.23	0.029 4
		>305	55(7)	111.1	24.94	26.26	1.32	1.05	0.011 9
		合计	265(27)	502.4	75.53	89.78	14.25	1.19	0.028 4
	1974～1985 年	合计	84(9)	170.1	31.29	33.73	2.44	1.08	0.014 0
	1986～1999 年	合计	181(18)	332.3	44.24	56.05	11.81	1.27	0.036 0
一般含沙洪水	1974～1999 年	<300	92(9)	136.6	6.455	9.46	3.01	1.47	0.022 0
		300～305	634(47)	1 300.0	43.12	57.50	14.38	1.33	0.011 1
		>305	386(18)	1 125.0	32.06	38.21	6.15	1.19	0.005 5
		合计	1 112(74)	2 562.0	81.63	105.17	23.54	1.29	0.009 2
	1974～1985 年	合计	834(51)	2 091.4	63.09	79.98	16.89	1.27	0.008 0
	1986～1999 年	合计	278(23)	470.3	18.54	25.19	6.66	1.36	0.014 0

图 2-18 为水库排沙量与入库水量的关系。可以看出，入库水量越大，排沙量也越大，一般洪水和高含沙洪水分别呈两种明显的趋势，随水量的增加高含沙洪水的排沙量增幅更大。

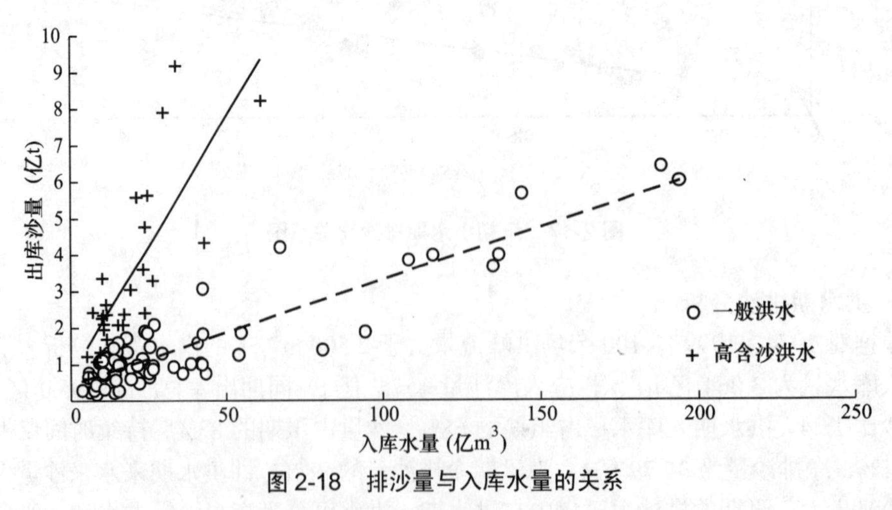

图 2-18　排沙量与入库水量的关系

由表 2-15 可见，1974～1999 年洪水期坝前平均水位小于 300 m 时，水库的排沙比最大，一般含沙洪水的排沙比达 1.47，高含沙洪水为 1.38；当坝前平均水位大于 305 m，水库的排沙比最小，一般含沙洪水和高含沙洪水分别为 1.19 和 1.05。如果从洪水排沙效率考虑，坝前平均水位小于 300 m 时，高含沙洪水和一般含沙洪水排沙效率分别为 0.056 t / m^3 和 0.022 t / m^3，是坝前水位为 300 ~ 305 m 时同类洪水排沙效率的 2 倍左右，是坝前水位大于 305 m 时同类洪水的 4 ~ 5 倍。可见，坝前水位越低，库区冲刷排沙的效果也越好。

为了研究大洪水期间的排沙特点，对 1974 年以来日均流量大于 4 000 m^3 / s 持续 3 天以上的洪水进行分析，其排沙特征值见表 2-16。在统计的 10 次洪水中，最大洪峰流量 9 220 m^3 / s，最小 4 560 m^3 / s，平均流量 4 774 m^3 / s，均为一般含沙洪水，平均排沙比为 1.232。表中 1988 年 8 月 15 ~ 20 日坝前平均水位 303.80 m，排沙比为 2.715；1975 年 9 月 30 日 ~ 10 月 6 日水库处于蓄水过程，坝前水位从 306 m 抬高到 318.3 m，平均水位 312.35 m，造成库区淤积，排沙比只有 0.674；1976 年 8 月 24 日 ~ 9 月 23 日最大洪峰流量 9 220 m^3 / s，有 11 天坝前水位超过 310 m，大流量过程持续时间长，水库的排沙比为 1.149；1981 年 9 月 6 日 ~ 10 月 12 日洪峰流量 6 540 m^3 / s，洪水持续 37 天，水库排沙比达 1.429。由此可知，大洪水期水库排沙取决于坝前水位的高低和泄流能力的大小。

表 2-16　大洪水排沙特征值

时段 (年・月・日)	天数	入库流量(m^3 / s)		史家滩水位 (m)	净排量 (亿 t)	排沙比	排沙效率 (t / m^3)
		最大	平均				
1975.9.30 ~ 10.6	7	5 910	5 053	312.35	–0.365	0.674	–0.011 9
1976.8.24 ~ 9.23	31	9 220	5 361	309.38	0.655	1.145	0.004 6
1978.9.18 ~ 9.29	12	6 510	4 399	305.68	0.440	1.358	0.009 6
1981.8.23 ~ 8.26	4	4 560	4 227	305.07	0.175	1.226	0.012 0
1981.9.6 ~ 10.12	37	6 540	4 874	306.49	1.425	1.429	0.009 1
1983.7.31 ~ 8.7	8	6 200	4 552	306.57	0.240	1.334	0.007 6
1983.10.14 ~ 10.20	7	4 560	4 076	305.87	0.130	1.369	0.005 3
1984.8.1 ~ 8.8	8	6 430	4 434	306.61	0.042	1.026	0.001 4
1985.9.15 ~ 9.27	13	5 540	4 445	307.88	0.008	1.005	0.000 2
1988.8.15 ~ 8.20	6	8 260	4 186	303.80	0.909	2.715	0.041 9
平均	13.3	6 373	4 774	307.35	0.365 9	1.232	0.006 7

3.1.4　不同流量级排沙特点

前面的分析表明，1974 ~ 1999 年水库冲刷主要在 7、8 月份，年均净排沙量为 1.36 亿 t，占汛期净排沙量 1.68 亿 t 的 81%，但是不同流量级的排沙效果又有不同(表 2-17)：①7 月份流量小于 4 000 m^3 / s 时，各流量级排沙比均大于 1.0，平均为 1.5，水库净排沙量 95.3%集中在 1 000 ~ 3 000 m^3 / s 流量范围，相应的水量占全月 64%；②8 月份流量小于 4 000 m^3 / s 的各流量级排沙比均大于 1.0，平均为 1.30；③9、10 月份入库沙量少，水库冲刷主要依靠 2 000 m^3 / s 以上的大流量，但冲刷量小，流量在 1 000 m^3/s 以下时库区多为淤积，流量在 1 000～2 000 m^3/s 进出库沙量基本相当。

表 2-17　1974～1999 年汛期不同流量级排沙情况(年均值)

月份	流量级(m^3/s)	天　数	潼关水量(亿 m^3)	潼关沙量(亿 t)	三门峡沙量(亿 t)	排沙比	净排沙量(亿 t)
7	<1 000	13.5	6.04	0.175	0.250	1.43	0.075
	1 000～2 000	11.0	13.77	0.744	1.075	1.44	0.331
	2 000～3 000	4.4	9.13	0.682	1.083	1.59	0.401
	3 000～4 000	1.5	4.53	0.185	0.279	1.51	0.094
	≥4 000	0.6	2.45	0.432	0.298	0.69	－0.133
8	<1 000	7.1	4.23	0.119	0.148	1.24	0.029
	1 000～2 000	11.8	14.92	0.687	0.889	1.29	0.184
	2 000～3 000	7.1	14.97	0.902	1.165	1.29	0.263
	3 000～4 000	3.3	9.85	0.652	0.877	1.35	0.226
	≥4 000	1.7	7.66	0.756	0.590	0.78	－0.166
9	<1 000	8.0	4.76	0.068	0.056	0.82	－0.012
	1 000～2 000	12.0	14.71	0.362	0.371	1.02	0.008
	2 000～3 000	4.0	8.60	0.298	0.378	1.27	0.080
	3 000～4 000	3.1	9.16	0.290	0.336	1.16	0.046
	≥4 000	2.9	11.51	0.316	0.412	1.30	0.095
10	<1 000	15.2	7.62	0.074	0.041	0.56	－0.032
	1 000～2 000	8.2	9.78	0.132	0.152	1.15	0.020
	2 000～3 000	4.3	8.68	0.139	0.190	1.37	0.051
	3 000～4 000	2.2	6.69	0.114	0.149	1.30	0.035
	≥4 000	1.15	4.73	0.099	0.111	1.13	0.013

注：本表由日流量过程统计，前文月水沙量统计中 1990 年以前为水文局整编值，二者略有出入。

水库排沙在时间上和不同流量级之间存在的差异，与水库水位和库区的冲刷形式分不开。7、8 月份经常发生较大洪水，坝前水位较低，在前期淤积基础上发生溯源冲刷和沿程冲刷，其冲刷强度大。随着冲刷发展、河床比降变缓、床沙粗化，若要继续冲刷需要有更大的水流能量，这只有在较大的流量下才能实现。这也说明，7、8 月份中等流量洪水冲刷是水库库容恢复和增加排沙量的主要形式。

但是，当流量达到某一级以上时，水库会壅水抬高水位，水面比降变缓，相应输沙能力降低，同时会发生漫滩淤积，影响排沙量。根据蓄清排浑运用以来的洪水资料，当潼关流量大于 4 000 m^3/s 时库区有不同程度的壅水削峰作用，这也是流量在 4 000 m^3/s 以上时排沙比小于 1.0 的主要原因。

3.1.5　平水期排沙

在汛期，除洪水期之外的非洪水期称为平水期。由于平水期流量小、来沙量少，水流输沙能力低，水库排沙量除受来沙直接影响外，还与水流所处的过程、前期冲淤情况、库水位等有关，所以汛期不同阶段的平水时期的冲淤和排沙特点有很大差异。

根据流量级的划分，流量小于 1 000 m^3 / s 的情况作平水考虑。1974 ~ 1999 年汛期平水期年均 43.8 天，占汛期的 35.6%；年均入库沙量为 0.436 亿 t，仅占汛期来沙量的 6%，净排沙量占汛期 3.7%，排沙比为 1.14。其中 7 月份平水持续时间超过 13 天，排沙比为 1.43，净排沙量为 0.075 亿 t；8 月份平水持续时间为 7 天，净排沙量 0.029 亿 t，排沙比为 1.24；9、10 月份水库略有淤积，排沙比小于 1.0。详见表 2-17。

一般情况下，非汛期河床淤积抬高，汛初库水位降低后将发生溯源冲刷，加上小水时期的来沙量少，致使 7 月份排沙比高；8 月份继续发生溯源冲刷，但强度减弱，排沙比减小；库区河床经过 7、8 月份洪水的冲刷调整，到 9、10 月份河床组成已经粗化，阻力增大，流速减小，小流量水流挟带的泥沙在库区落淤，平水期的排沙比小于 1.0。

3.2 溯源冲刷和沿程冲刷

3.2.1 溯源冲刷

3.2.1.1 溯源冲刷的特点和判别方法

当库水位降低到淤积三角洲顶点以下时，淤积面产生跌水冲刷，并向上游发展的冲刷过程即为溯源冲刷。溯源冲刷自下而上发展，随着冲刷向上游发展其冲刷量逐渐减少；各河段的比降也随之调整，三角洲前坡段比降由陡变缓，同时顶坡段比降由缓变陡，逐渐调匀，趋于一致；溯源冲刷所及河段，河床组成逐渐粗化。

判别溯源冲刷的方法主要从以下几方面考虑：①沿程冲淤量的变化；②水面比降的变化；③同流量水位的变化；④进出库沙量的差值。

在溯源冲刷所及的范围内，冲刷量从下向上逐渐减少；反过来讲，冲淤量的沿程变化是判断溯源冲刷的基本条件，它能很好地反映溯源冲刷的程度及范围。由于库区断面测量每年只有汛前和汛后两次，所以只能对汛期总体冲刷加以判断。对于短时段溯源冲刷的判别，应结合进出库输沙率的变化，主要采取同流量水位法来判别，即在水库降低水位过程中，用沿程同流量水位下降值代表沿程冲刷厚度。北村水位受坝前水位的影响，其变幅并不都能代表河床的冲淤厚度，因此主要考虑大禹渡以上河段的冲刷情况。

3.2.1.2 溯源冲刷范围分析

溯源冲刷范围一般从淤积三角洲顶点下游附近开始，向上发展到与沿程冲刷或淤积相衔接为止。受资料和库区水位站较少的限制，在此仅根据汛期冲淤量的沿程变化，对溯源冲刷范围进行定性分析。

表 2-18 为 1974 年以来溯源冲刷发展范围。可以看出，1974 ~ 1985 年溯源冲刷发展到黄淤 36—黄淤 38 断面，1986 年以后发展范围有所缩小，有的年份仅发展到黄淤 31 断面，有的年份像 1988 ~ 1990 年、1992 ~ 1994 年也发展到黄淤 36 断面以上。

1974 年为蓄清排浑运用的第 1 年，非汛期蓄水位高，淤积重心靠上，黄淤 31 断面以上淤积量占潼关以下库区的 60%，虽然入库平均流量只有 1 146 m^3 / s，溯源冲刷还是发展到黄淤 38 断面；1980 年坝前水位低于 300 m 的有 27 天，汛期平均水位 301.87 m，整个汛期均为敞泄运用，溯源冲刷也发展到黄淤 38 断面；1990 年坝前水位低于 300 m 的有 24 天，由于低水位历时长，平均流量大，所以溯源冲刷发展到黄淤 37(2)断面。1987、

1991、1998 年等汛期平均流量小，为 575 ~ 800 m^3/s，溯源冲刷只发展到黄淤 33 断面；1997 年为特枯水年，汛期平均流量只有 523 m^3/s，库水位在 300 m 以上，溯源冲刷仅发展到黄淤 31 断面。因此，溯源冲刷的发展与入库流量和坝前水位等因素密切相关，入库流量大或坝前低水位持续时间长时，冲刷发展距离较远。

表 2-18　汛期溯源冲刷发展范围

年份	最远断面	平均流量 (m^3/s)	$H_{史}$<300 m (天)	年份	最远断面	平均流量 (m^3/s)	$H_{史}$<300 m (天)
1974	黄淤 38	1 146	5	1988	黄淤 36	1 760	9
1975	黄淤 38	2 844	7	1989	黄淤 37(2)	1 929	12
1976	黄淤 36	3 004	3	1990	黄淤 37(2)	1 314	24
1978	黄淤 36	2 097	0	1991	黄淤 33	575	31
1979	黄淤 37(2)	2 043	0	1992	黄淤 37(2)	1 232	26
1980	黄淤 38	1 261	27	1993	黄淤 36	1 314	27
1981	黄淤 38	3 183	5	1994	黄淤 36	1 254	10
1982	黄淤 37(2)	1 729	6	1995	黄淤 33	1 071	33
1983	黄淤 37(2)	2 954	0	1996	黄淤 35(2)	1 204	29
1984	黄淤 36	2 653	8	1997	黄淤 31	523	0
1985	黄淤 36	2 194	10	1998	黄淤 33	808	7
1986	黄淤 34	1 263	14	1999	黄淤 35(2)	896	6
1987	黄淤 31	710	10	2000	黄淤 34	688	4

图 2-19 所示为溯源冲刷发展范围与汛期平均流量的关系，流量越大，溯源冲刷发展的距离越远，当流量大于 1 500 m^3/s 时，冲刷可以发展到黄淤 36 断面；当流量小于 1 500 m^3/s 时，随着流量的增加，冲刷范围明显延长；同流量下冲刷发展的变化范围在 10 ~ 15 km。

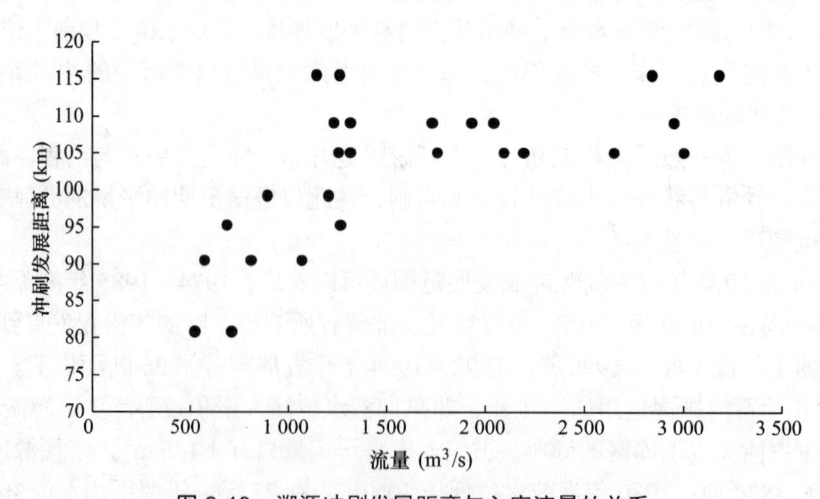

图 2-19　溯源冲刷发展距离与入库流量的关系

由以上论述，流量是溯源冲刷发展的关键条件。对冲刷距离与大于不同流量级的水量相关分析表明，冲刷距离与流量大于 1 000 m^3 / s 的水量 $W_{Q>1\,000}$(亿 m^3)相关性最好。考虑到坝前水位的影响，引入汛期库区水面比降 J(在 0.18‰ ~ 0.23‰内)，以 $W_{Q>1\,000}J$ 作为因子，同时考虑前期淤积量(黄淤 31—黄淤 41 断面)ΔW_{s31-41}(亿 t)，其回归方程为：

$$L = 70.3(W_{Q>1\,000}J)^{0.09}+16.3\Delta W_{s31-41}+2.62 \tag{2-10}$$

其拟合情况如图 2-20 所示。

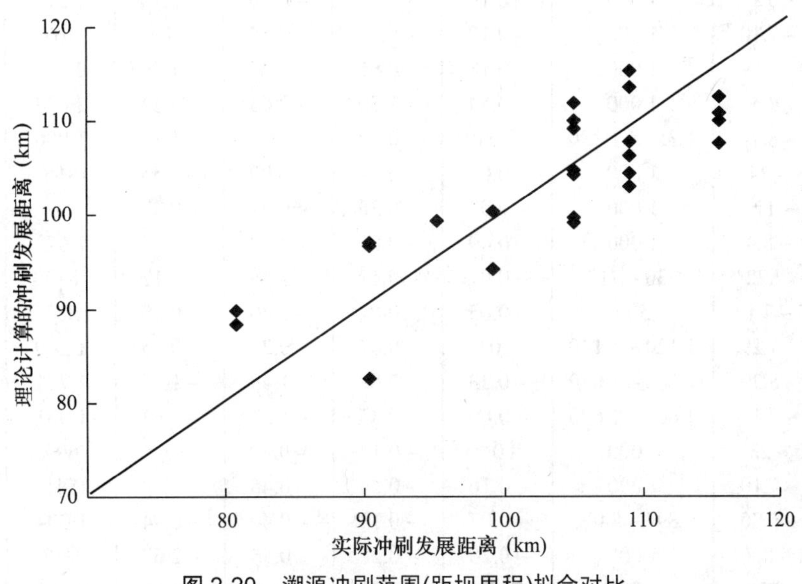

图 2-20 溯源冲刷范围(距坝里程)拟合对比

3.2.1.3 溯源冲刷发展过程分析

(1)溯源冲刷厚度。以同流量水位下降值代表河床的冲淤厚度，统计 1974 年以来以溯源冲刷为主的资料见表 2-19。总体来看，水库溯源冲刷大部分能够发展到坫垮以上，平均冲刷厚度坫垮为 0.44 m，大禹渡 0.91 m，潼关断面受溯源和沿程冲刷的共同影响平均冲刷 0.13 m。由于受各种因素的影响，不同冲刷时段的冲刷范围和厚度有很大差别。

(2)溯源冲刷过程分析。溯源冲刷主要有两种类型：即库水位下降过程产生的冲刷和库水位保持在低水位状态下产生的冲刷。一般情况下，汛初降低水位过程中，入库流量往往比较小，当发生溯源冲刷时，其影响范围小，有的根本发展不到大禹渡，有的虽然发展到大禹渡以上，但冲刷厚度很小。

如 1981 年 6 月 17 ~ 24 日为降低水位过程，只有大禹渡水位明显降低，之后水库为低水位控制运用，6 月 24 日 ~ 7 月 1 日坝前平均水位 305 m，入库平均流量只有 357 m^3 / s，同流量(潼关流量 500 m^3 / s)时大禹渡水位下降 0.4 m，坫垮仅下降 0.07 m。

1992 年 6 月 24 日坝前水位 314.4 m，6 月 28 日下降到 294.61 m，在 6 月 24 ~ 25 日水位降低过程中入库流量在 400 ~ 600 m^3 / s，出库流量达 1 000 ~ 1 200 m^3 / s，库区产生溯源冲刷；6 月 28 日 ~ 7 月 16 日坝前水位均在 300 m 以下，但潼关流量多在 300 m^3 / s 以下，最小为 84 m^3 / s，出库流量也在 300 m^3 / s 以下，尽管水位很低，由于进库流量小，致使库区冲刷量也小。此后，在大流量作用下，溯源冲刷继续发展，从 7 月 17 日 ~

9 月 7 日坝前平均水位 301.33 m，库区各站水位均有大幅度的下降(表 2-20)，其中也包括了洪水的沿程冲刷和之后的回淤。

表 2-19 溯源冲刷统计

时段(年·月·日)	潼关流量(m^3/s)	冲刷厚度(m)				平均流量(m^3/s)	
		潼关	坫垮	大禹渡	北村	潼关	三门峡
1974.7.8 ~ 12	1 000	– 0.10	– 0.30	– 0.90	– 0.14	1 219	1 250
1975.6.30 ~ 7.10	1 000	– 0.10	– 0.43	– 0.55	0.08	767	818
1975.7.22 ~ 8.4	1 000	– 0.18	– 0.65	– 1.25	– 1.20	2 947	3 006
1975.7.1 ~ 8.5	1 000	– 0.54	– 1.50	– 2.63	– 3.83	2 003	2 013
1976.7.5 ~ 8.7	1 350 ~ 1 390	0.04	– 0.42	– 1.00	– 1.13	1 906	1 895
1977.7.18 ~ 24	1 000	– 0.07	– 0.54	– 0.90	– 0.55	865	888
1978.7.7 ~ 11	1 000	– 0.03	– 0.26	– 0.53	– 0.37	759	842
1978.7.11 ~ 8.4	1 000	– 0.49	– 0.87	– 1.10	– 1.05	1 673	1 650
1979.7.4 ~ 7.22	730 ~ 713	– 0.07	– 0.59	– 1.16	– 1.12	813	809
1981.6.25 ~ 7.1	500	– 0.05	– 0.07	– 0.40	– 0.50	357	385
1982.7.15 ~ 7.29	1 120 ~ 1 140	0.01	– 0.07	– 0.22	– 0.25	1 249	1 202
1982.7.12 ~ 8.29	1 060 ~ 1 080	– 0.23	– 0.88	– 1.49	– 1.16	1 757	1 716
1983.6.28 ~ 7.14	1 660 ~ 1 600	– 0.09	– 0.35	– 0.50	– 0.63	1 481	1 506
1984.6.10 ~ 23	1 000	0	– 0.14	– 0.40		699	850
1985.6.23 ~ 7.10	1 000	– 0.16	– 0.24	– 0.48		541	633
1990.6.19 ~ 6.30	897 ~ 848	– 0.07	– 0.13	– 0.46	– 0.94	1 004	1 112
1991.7.24 ~ 8.7	1 000	– 0.20	– 0.22	– 0.75	– 2.67	996	1 027
1994.8.5 ~ 8.20	1 000	– 0.25	– 0.55	– 1.30	– 3.55	2 423	2 341
1995.7.25 ~ 8.10	1 470 ~ 1 420	– 0.23	– 0.35	– 0.93	– 3.35	1 588	1 595
1996.7.16 ~ 7.25	1 260	0.04	– 0.20	– 0.76	– 2.76	1 280	1 245
1996.7.27 ~ 8.22	1 190 ~ 1 180	– 0.41	– 0.63	– 1.98	– 2.06	2 115	2 004
1982.7.30 ~ 8.22	1 280 ~ 1 270	– 0.28	– 0.55	– 0.80	– 0.34	2 398	2 344
1993.7.31 ~ 8.12	1 000	0.49	– 0.20	– 0.50	– 0.20	2 109	2 222

表 2-20 1992 年冲刷过程中特征值

日期(月·日)	潼关流量(m^3/s)	水位下降值(m)				史家滩平均水位(m)	冲刷类别
		潼关	坫垮	大禹渡	北村		
6.24 ~ 7.16	574 ~ 550	0.01	– 0.34	– 0.47	– 1.92	298.40	溯源
8. 9 ~ 8.17	2 000	– 1.76	– 1.40	– 1.50	– 1.57	300.60	沿程
8.17 ~ 8.28	1 730	0.32	0.26	0.30	– 0.30	299.70	淤积
7.17 ~ 9. 7	960	– 1.29	– 1.63	– 2.47	– 4.20	301.33	溯源

由此可见，在库水位降落过程中，当流量在 500 m^3/s 以下时，溯源冲刷发展距离很短，一般在大禹渡以下，库区淤积的三角洲形态依然存在；当流量大于 500 m^3/s 时，发展距离较远，尤其是在洪峰过程，可以发展到坫垮以上，有时以溯源冲刷为主也伴随有沿程冲刷；如果在降低水位过程中为小流量，溯源冲刷只发生在近坝河段，在坝前处于低水位状态，其冲刷发展也很慢，甚至只局限于某一断面附近，这时，如果流量增大或出现洪峰，这种冲刷形式会继续发展。

(3)溯源冲刷特征值及相关分析。溯源冲刷量和冲刷厚度沿程向上逐渐减小，各站的冲刷厚度存在一定的关系。由图 2-21 可见，坫埼的冲刷厚度与大禹渡的冲刷厚度具有很好的关系，相关系数达 0.89，若大禹渡下降 1 m，坫埼则下降约 0.49 m。潼关断面的冲刷下降是溯源冲刷和沿程冲刷共同作用的结果，与大禹渡下降幅度有一定关系。在一定的水流条件下，若大禹渡下降 1 m，潼关则下降约 0.17 m。这也说明，在溯源冲刷期，大禹渡的冲刷下降幅度基本上决定了溯源冲刷发展的范围及上游的冲淤厚度。

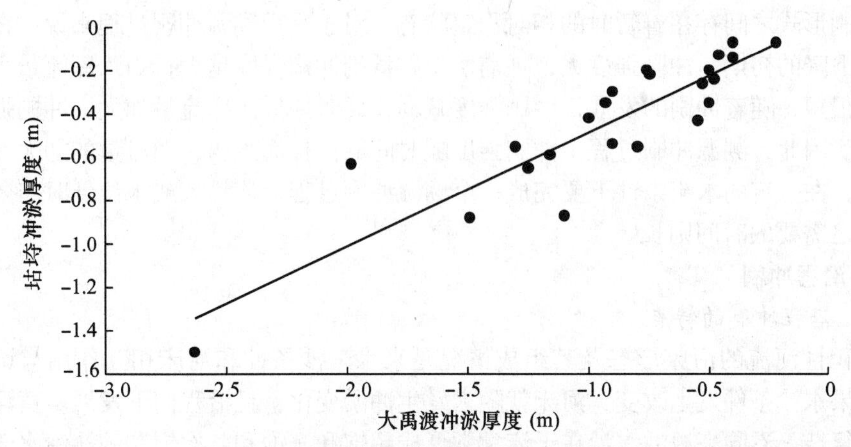

图 2-21 大禹渡与坫埼冲刷厚度之间的关系

由前面的分析可知，溯源冲刷及其发展取决于坝前水位的降低和进出库流量的大小。以 $\gamma'WJ$(γ'为浑水容重，W 为冲刷时段的入库水量，J 为潼关至大禹渡的比降)表示冲刷期水流总能量，点绘坫埼、大禹渡的冲刷厚度与水流能量的关系如图 2-22 所示，图中大禹渡和坫埼的冲刷厚度与水流能量具有很好的相关性，相关系数分别为 0.81 和 0.78，水流能量越大溯源冲刷厚度也越大。

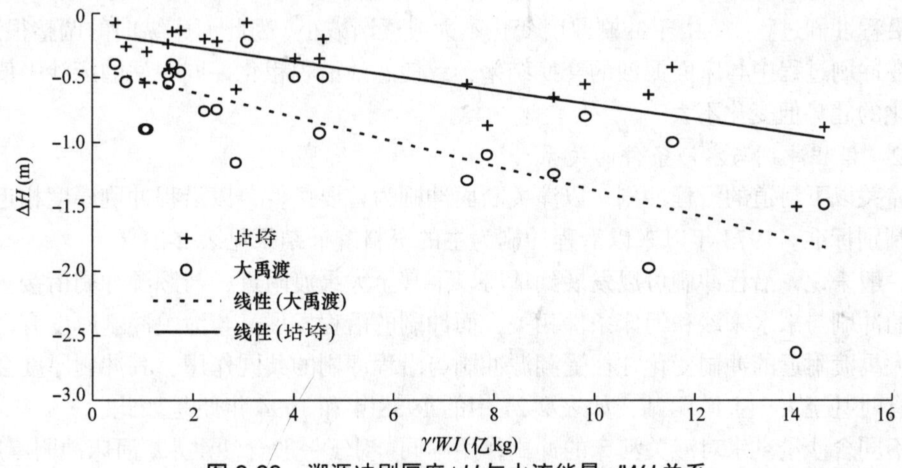

图 2-22 溯源冲刷厚度ΔH 与水流能量$\gamma'WJ$ 关系

坝前水位降低是溯源冲刷的必要条件但不是充分条件，降低到一定程度之后溯源冲刷量与坝前水位没有明确的关系。如 1990 年 6 月 19～30 日，库区发生溯源冲刷之后，在 7 月 1～18 日坝前平均水位为 297.67 m，最低水位为 290.81 m，入库平均流量 1 662

m^3/s，在前期冲刷的基础上，大禹渡冲刷下降 0.8 m，坫埼没有明显变化；1994 年 8 月 5～20 日史家滩平均水位 300.76 m，最低水位 295.99 m，入库平均流量 2 423 m^3/s，大禹渡水位下降了 1.3 m，坫埼下降 0.55 m。这也证明了低水位状态时入库流量对溯源冲刷发展的决定作用。

在汛期冲刷过程中，受库区淤积形态和库水位降低的共同作用，初期产生溯源冲刷，随着入库水沙条件变化和河床形态调整，河床冲刷过程具有不同形式，冲刷强度也不同。不同冲刷形式之间存在着暂时的相对稳定状态。对于一个溯源冲刷过程来说，在坝前水位迅速下降的初期，冲刷强度大，坝前水位越低则冲刷强度越大；当入库流量小时，发展距离很短，随着冲刷的发展，冲刷强度减弱，此时如果入库流量加大，冲刷强度也随之增大。因此，溯源冲刷过程中冲刷强度随时间的推移而减弱，随流量的加大而增加。这说明，在一定的水流条件下要完成一个溯源冲刷过程，流量大或水位低时需要的时间短，反之需要的时间则长。

3.2.2 沿程冲刷

3.2.2.1 沿程冲刷的特点

冲积性河流的河床形态及其组成情况是来水来沙条件和河床相互作用与调整的结果，如果水沙条件发生改变，河床就随之发生冲淤变化，且沿程向下发展。黄河水沙来源极其复杂，不同来源的水沙在干流常常形成超饱和、饱和、次饱和的挟沙水流。当来水为次饱和水流时，沿程从床面补给一部分泥沙，使水流逐渐恢复到饱和，含沙量沿程恢复过程中，河床发生冲刷并从上向下发展，即沿程冲刷。冲刷的数量和部位取决于水流输沙能力及沿程床沙的补给情况。

三门峡水库蓄清排浑运用以来，潼关以下河段在洪水期间多发生沿程冲刷。在适宜的水流条件下，潼关附近河床冲刷下降，含沙量沿程增加并与河床泥沙不断进行交换，这种冲刷调整逐渐向下游发展，含沙水流也随之趋于饱和，河床冲刷幅度逐渐减小。

沿程冲刷过程中，由于冲刷厚度变化不大或逐渐减小，因此河床纵向的调整很微弱。由于在冲刷过程中与床面泥沙的交换结果，致使悬沙沿程粗化，同一站的床沙中值粒径有粗化的趋势但变化不大。

3.2.2.2 沿程冲刷与水沙条件的关系

潼关以下河道的沿程冲刷，以潼关断面冲刷为首要条件，以沿程冲刷厚度相近或减少为判别标准。1973 年以来以沿程冲刷为主的资料统计结果见表 2-21。

一般来说，沿程冲刷可以发展到坫埼以下甚至大禹渡附近，与溯源冲刷衔接。潼关断面的冲刷与来水来沙和河床条件相关，而冲刷的沿程发展又与潼关冲刷厚度有密切关系。大禹渡附近的冲刷变化往往受溯源冲刷与沿程冲刷的共同作用，其冲刷厚度会比较大，有时甚至大于上游两站，如表 2-21 中的 1988 年和 1994 年便是如此。

不同含沙量洪水对潼关河床的冲刷作用不同。对于一般含沙洪水，河床冲刷厚度小，如潼关站变化在 0.25～0.6 m 之间；对于高含沙量洪水，冲淤变幅较大。当渭河为高含沙量洪水时，潼关河床往往发生剧烈冲刷，河床冲刷厚度大，最大可超过 2 m，有时这种剧烈的冲刷会发展到坫埼以下。

沿程冲刷的发展是由水沙条件和河床条件相互作用的结果，其冲淤厚度与水流能量的关系，因洪水含沙量的不同而具有不同的特点。对于一般含沙洪水，冲刷厚度随水流能量的增加而有增大的趋势；对于高含沙洪水，以龙门来水为主时悬沙组成粗，对冲刷不利，以华县来水为主时悬沙组成细，容易形成高含沙水流，输沙能力大，有利于冲刷。因此，同样的水流能量，高含沙洪水时潼关断面冲刷量变幅很大。由于潼关断面冲淤调整极其灵敏，取潼关和坫垮冲刷厚度的平均值与水流能量建立关系，如图 2-23 所示。图

表 2-21　沿程冲刷特征值

时段 (年·月·日)	平均流量 (m^3/s)	平均含沙量 (kg/m^3)	潼关流量 (m^3/s)	水位差(m)			
				潼关	坫垮	大禹渡	北村
1973.8.24～9.21	2 648	124.6	1 520～1 530	－0.63	－1.15	－0.94	－0.27
1974.7.28～8.4	1 563	193.2	1 000	－0.71	－0.64	－1.28	0.33
1974.10.1～10	1 991	28.9	1 000	－0.29	－0.08	－0.11	－0.06
1976.8.8～10.19	3 855	27.2	1 000	－0.50	－0.45	－0.30	
1977.7.1～7.21	2 255	200.0	1 000	－2.29	－2.46	－0.82	0.52
1978.7.11～7.18	1 524	173.3	1 000	－0.31	－0.72	－0.50	－0.28
1980.8.7～8.31	1 105	40.4	881～833	－0.50	－0.47	－0.19	－0.58
1981.7.3～7.14	2 577	46.6	1 000	－0.45	－0.48	－0.60	－0.29
1981.8.17～10.19	4 154	28.6	1 000	－0.51	－1.08	－0.56	0
1984.9.22～10.18	2 320	16.0	1 500	－0.40	－0.30	0.10	－0.50
1985.9.9～10.24	3 448	24.2	1 500	－0.25	－0.33	－0.14	－0.15
1988.8.4～25	3 300	109.6	1 110	－0.58	－0.48	－0.93	－0.46
1989.8.12～10.10	2 707	20.8	1 000	－0.61	－0.16	－0.07	－0.07
1993.7.22～7.30	1 810	35.6	1 000	－0.23	0.20	－0.20	－0.85
1994.7.8～7.14	1 916	162.8	1 000	－0.50	－0.20	－0.89	－2.05
1997.7.30～8.5	1 712	275.5	1 000	－1.77	－0.9	－0.64	－2.82

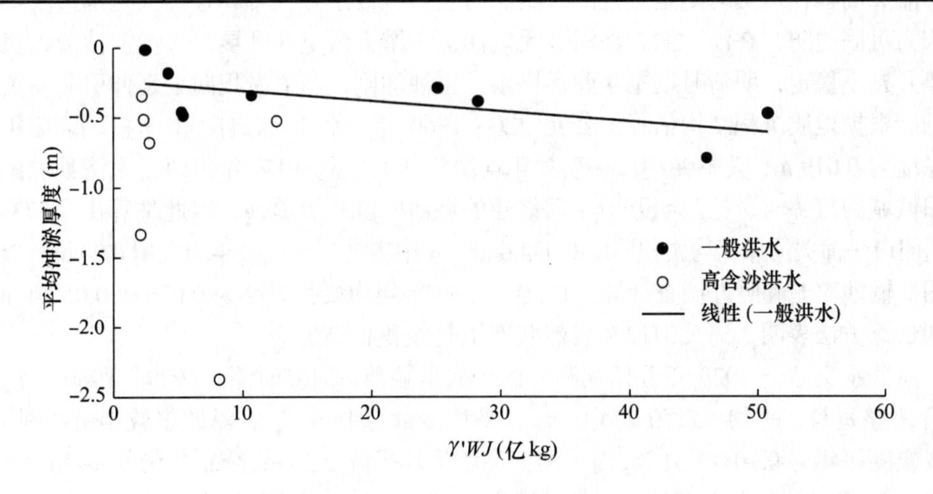

图 2-23　平均冲刷厚度与水流能量的关系

中明确显示一般含沙洪水沿程冲刷的规律性和高含沙洪水期冲刷厚度的极大差异。如果水流能量很小，则冲刷厚度也小，沿程冲刷难以向下发展。

3.2.3 其他冲刷形式

溯源冲刷和沿程冲刷并不是孤立的，有时是同时或交叉进行。当坝前水位降低发生溯源冲刷时，由三角洲顶点向上游发展，若遇适当的水流条件，潼关河床发生沿程冲刷，其不饱和输沙水流含沙量沿程恢复，并向下发展。两种冲刷过程向中间发展，有时发展距离很短，有时相互叠加，使库区河床普遍有所降低。溯源冲刷是库容恢复的有效方式，增大库区比降，促使沿程冲刷的发展，而沿程冲刷对冲刷淤积末端有重要作用。

分析表明，潼关至坫垮河段以沿程冲刷为主，大禹渡上下库段以溯源冲刷为主。坫垮附近受它们的共同作用而冲刷下降。

1999 年汛初溯源冲刷过程中，从 6 月 23 ~ 30 日坝前水位从 312.02 m 降到 295.35 m，潼关最大流量 450 m^3 / s，以大禹渡冲刷下降最多；7 月 1 ~ 12 日入库流量增大，同流量条件下北村水位继续下降；在 7 月 12 ~ 18 日间华县出现高含沙洪水，潼关最大日均流量 1 950 m^3 / s，库区沿程冲刷和溯源冲刷同时发展，潼关、坫垮、大禹渡、北村 1 000 m^3 / s 水位分别下降 1.08、0.60、1.13 m 和 1.74 m。

冲积性河流调整过程本身就是水流与河床相互作用、床沙与悬移质不断交换的过程，由于断面形态或河势的变化，会产生局部冲刷。如果入库流量小，坝前保持低水位状态敞泄运用时，在三角洲顶点附近和坝前段容易发生冲刷；水库按 305 m 控制运用时坝前段容易淤积；当潼关发生大水或华县高含沙洪水，潼关河床易发生冲刷；对于河湾段或水流顶冲滩岸的位置也容易发生淘刷或塌滩等局部冲刷现象。

4 水库不同运用期潼关高程演变特点

4.1 三门峡建库前潼关高程变化特点

潼关高程在历史时期是上升的。秦汉时期曾派数十万大军和移民到北部边疆垦荒；北宋为巩固边防，在泾、渭、洛河及无定河上中游大量屯兵开垦，大量泥沙流入黄河，河势开始不稳定；明清时期军垦商垦剧增，侵蚀加剧，河道淤积向下延伸引起潼关高程上升。根据地质沉积结构估算出公元 220 ~ 1960 年小北干流(禹门口—潼关)河床年均淤积厚度为 0.019 m，其中夹马口—潼关年均淤积 0.021 m。1972 年山西省永济县农民在蒲州旧城城西打井时，挖到明万历年间修建的城西防洪石堤堤顶，以此估算出 1573~1960 年禹门口—潼关河床年均淤积厚度 0.034 6 m，其中夹马口—潼关年均淤积 0.04 m。根据地形图，输沙率差和野外调查计算，1950 ~ 1960 年年均淤积厚度为 0.036 9~0.050 4 m。不同的估算方法表明，潼关河段在自然状态下是淤积抬高的。

潼关水文站于 1929 年开始观测，由于战事频繁，时测时停。1929 ~ 1960 年汛期有 19 年完整资料，平均水量为 274 亿 m^3，平均沙量为 14.9 亿 t，汛期多数年份冲刷下降，下降幅度每年为 0.10 ~ 1.51 m，潼关河床高程平均下降 0.28 m，个别年份如 1930 年、1957 年和 1959 年的汛期是上升的，上升幅度为 0.12 ~ 0.33 m，而 1933 年冲刷下降 1.51 m。非汛期有 17 年完整资料，平均水量 182 亿 m^3，潼关河床上升的幅度每年为 0 ~ 0.99 m，河床平均上升 0.35 m。由此计算出三门峡水库在建库前河床年均上升值为 0.07 m。根据对 1959 年以前观测资料分析，潼关高程变化与时段来水来沙条件有关。潼关河床在汛期和洪水期冲刷下降，在非汛期和小流量时则为淤积上升。在自然条件下，潼关高程全年是缓慢上升的。

值得注意的是，由于水文资料不连续，战事频繁，观测工作不规范，精度不高，还不能用此数值来计算潼关高程在天然条件下年均上升值。采用 0.035 m (1950 ~ 1960 年) 作为天然条件下潼关高程多年平均上升值比较接近实际。

4.2 三门峡建库后潼关高程变化特点

4.2.1 蓄水拦沙期和滞洪排沙期潼关高程演变特点

1960 年 9 月 15 日 ~ 1962 年 3 月 19 日是三门峡水库的蓄水拦沙运用期，最高蓄水位为 332.58 m。库水位在 330 m 以上的时间长达 200 天，在一年半时间内库区 330 m 高程以下淤积泥沙 15.4 亿 m^3，占入库沙量的 93%，水库的淤积速度和部位超过预计，淤积末端不断向上游延伸，渭河河口形成拦门沙；潼关高程受水库的泥沙淤积影响迅速上升，从 1960 年 9 月中旬的 323.40 m 上升到 1961 年汛前的 326.56 m，再到 1962 年 3 月的 328.07 m，共上升 4.67 m(如图 2-24 所示)。

图 2-24 1960 ~ 1973 年潼关高程变化

1962 年 3 月水库改为滞洪排沙运用。1962 年 4 ~ 6 月，水库降低运用水位至 305 m 左右，到 1962 年 6 月底，潼关高程下降到 325.93 m。

1964 年为丰水丰沙年，由于水库泄流规模不足，汛期平均库水位 320.24 m，最高日均水位 325.86 m，产生滞洪滞沙，使得潼关以下库区在一个汛期就淤积泥沙 11.6 亿 m^3，到 10 月底，潼关高程上升到 328.09 m，上升 2.04 m。第一次改建工程投入运用后，潼关以下库区淤积得到缓解。但 1967 年又遇到丰沙年，潼关以下库区汛期淤积 2.1 亿 m^3，潼关以上汇流区严重滞洪，河道大量淤积，汛期潼关高程上升 0.60 m，当年汛末潼关高程上升到 328.34 m。

随着第二次改建工程投入运用，水库滞洪水位下降，1970 ~ 1973 年汛期各月平均库水位均低于 300 m，潼关至坝前发生持续冲刷，仅 1973 年汛期潼关高程就下降 1.43 m。

在此期间潼关以下库区共冲刷 3.95 亿 m^3，潼关高程亦由 1970 年汛初的 328.45 m 降至 1973 年汛末的 326.64 m。

1962 年 6 月～1973 年 11 月，潼关高程上升 0.71 m，其中非汛期上升 2.63 m，汛期下降 1.92 m。非汛期大部分年份由于受水库蓄水运用和回淤影响，潼关高程上升。汛期除 1964、1967 年滞洪滞沙产生泥沙严重淤积使潼关高程大幅度上升外，潼关高程基本上是冲刷下降的。

4.2.2 蓄清排浑运用以来潼关高程演变特点

1973 年底三门峡水库蓄清排浑运用以来，潼关高程呈现非汛期上升、汛期下降的变化规律。由于受汛期水沙条件和水库运用的影响，潼关高程在各时段又有不同的演变特点。

(1)1973～1985 年。1973 年 11 月～1979 年 10 月潼关高程为上升阶段，共上升 0.98 m，年均上升 0.17 m(见表 2-22)，其中非汛期平均上升 0.70 m，汛期平均下降 0.53 m。1979 年 11 月～1985 年 10 月为下降阶段，共下降 0.98 m，年均下降 0.17 m，其中非汛期平均上升 0.40 m，汛期平均下降 0.57 m。从总体看，潼关高程从 1973 年汛末的 326.64 m，上升到 1979 年汛末的 327.62 m，至 1985 年汛末又下降到水库蓄清排浑开始运用时的 326.64 m。

表 2-22 不同时段潼关高程升降值

时段(年·月)	非汛期(m)		汛期(m)		年(m)	
	时段	年均	时段	年均	时段	年均
1973.11～1979.10	4.18	0.70	－3.20	－0.53	0.98	0.17
1979.11～1985.10	2.42	0.40	－3.40	－0.57	－0.98	－0.17
1985.11～1992.10	2.62	0.37	－1.96	－0.28	0.66	0.09
1992.11～2000.10	2.41	0.30	－1.38	－0.17	1.03	0.13
1973.11～2000.10	11.63	0.43	－9.94	－0.37	1.69	0.06

(2)1986～2000 年。在此时段内潼关高程总体上呈上升趋势，1985 年汛末为 326.64 m，2000 年汛末为 328.33 m，上升 1.69 m，年均上升 0.11 m。从图 2-25 潼关高程的变化过程来看，从 1985 年汛末～1991 年基本为持续上升，到 1992 年汛初上升 1.76 m，达到 328.40 m，经过 1992 年 8 月高含沙洪水的冲刷，到汛末潼关高程降为 327.30 m，与初期

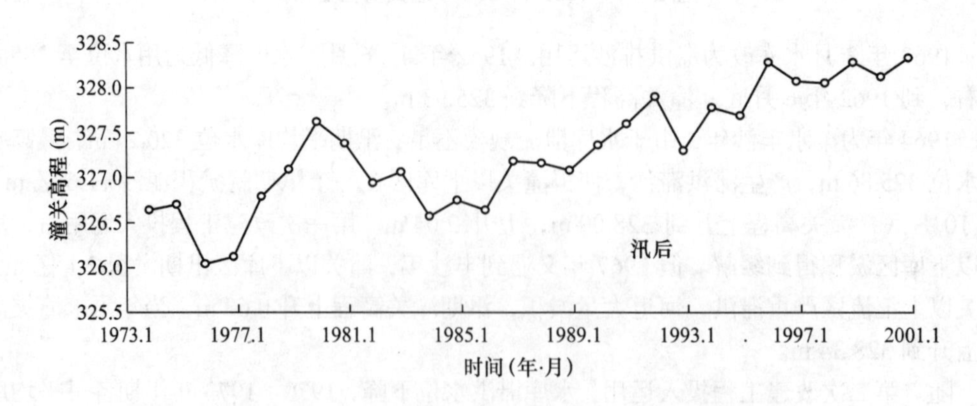

图 2-25 1973～2000 年汛后潼关高程变化过程线

相比下降 1.1 m。1992 年汛末～1996 年汛末为上升时期，潼关高程由 327.30 m 上升到 328.07 m，上升了 0.77 m。1996～2000 年潼关高程在年内和年际变化幅度均不大。此期间潼关高程非汛期变化在 328.40～328.48 m 之间，汛期变化在 328.05～328.33 m 之间。

总之，自水库蓄清排浑运用以来，潼关高程经历了一个上升—下降—上升—下降—上升—缓慢上升的过程。

4.3 影响潼关河床冲淤变化的原因分析

潼关高程的影响因素十分复杂，有来水来沙、水库运用、河道冲淤、库岸边界、河势变化、河道工程等，各因素之间不仅相互关联，其影响程度还因时而不同。其中最主要的是来水来沙条件和三门峡水库运用方式两个方面。

4.3.1 水沙条件对潼关高程的影响

一般情况下，潼关河床汛期冲刷、非汛期淤积，汛期冲刷下降幅度主要取决于水沙条件。表 2-23 对不同时段的统计表明，汛期水量的丰枯与潼关高程的冲刷下降值基本呈对应关系。1979～1985 年水量最丰、大流量的持续时间最长，汛期潼关高程年均下降值达 0.57 m；1992～2000 年水量最枯，大于 3 000 m^3/s 的流量年均只有 1.9 天，汛期潼关高程年均下降值仅 0.17 m。

表 2-23 潼关站水沙量统计

时段 (年·月)	年平均		汛期平均		>3 000 m^3/s 流量		汛期潼关高程下降值 (m)
	水量 (亿 m^3)	沙量 (亿 t)	水量 (亿 m^3)	沙量 (亿 t)	水量 (亿 m^3)	天数 (天)	
多年平均(1960～1985年)	406.5	12.40	234.1	10.45	108.7	31.3	
1973.11～1979.10	386.8	12.89	224.9	11.19	93.8	26.3	−0.53
1979.11～1985.10	415.0	8.07	247.5	6.55	118.8	34.8	−0.57
1985.11～1992.10	290.7	7.60	133.3	5.54	20.9	6.6	−0.28
1992.11～2000.10	231.0	7.38	103.3	5.61	6.1	1.9	−0.17

图 2-26 为各年汛期潼关高程变化与来水量、来沙量关系。由图可知，来水量的大小对潼关高程变化的影响较大，汛期来水量越大，潼关高程下降的幅度就越大；来沙量对潼关高程的影响因水量来源不同而存在差异，当以渭河来水为主时(华县站水量占潼关 25%以上)，随含沙量的增加潼关高程下降值呈增大趋势；以龙门来水为主时，点群较散乱。这说明渭河高含沙洪水对潼关河床具有更显著的冲刷作用。水沙对潼关河床的冲刷作用主要取决于大流量及洪水过程，时间主要发生在汛期洪水和桃汛洪水期。

汛期潼关河床的冲刷主要与来水来沙量有关，而汛期水沙主要集中在洪水期。因此，潼关高程的变化与场次洪水具有十分紧密的关系。统计分析 1974～2000 年以来 100 余场洪水，其中以渭河来水为主的洪水 45 场，以黄河来水为主的洪水 63 场。在所有的场次洪水中潼关高程冲刷下降占 55%，淤积抬高占 30%，15%的场次洪水对潼关河床变化影响不大。历年洪水期潼关高程的变化表明，每年洪水期潼关高程的冲刷下降值多大于或接近于汛期的下降值，洪水期潼关高程的变化基本决定了汛期的最大冲刷厚度。各年洪峰期潼关高程变化值见表 2-24。

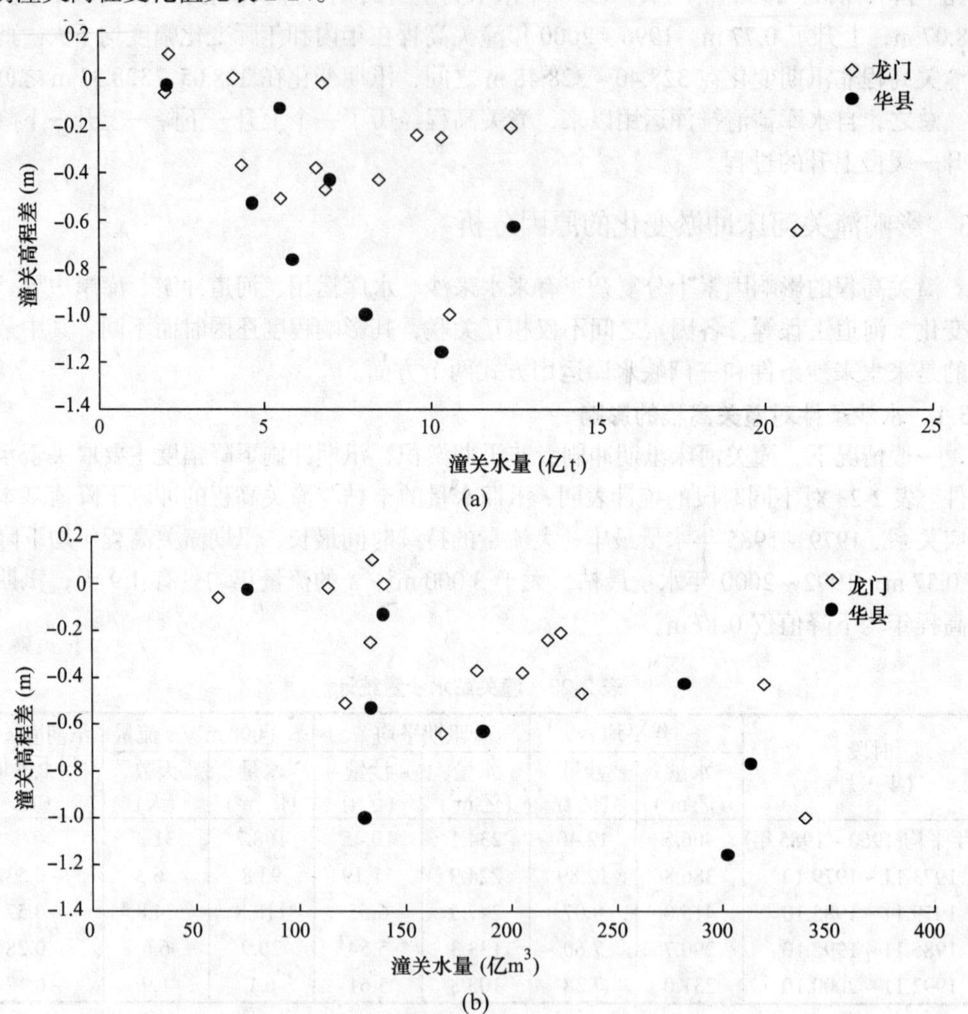

图 2-26 汛期潼关高程变化值与来水、来沙量的关系

表 2-24 潼关汛期洪峰特征及潼关高程变化值

年份	历时 (天)	洪峰流量 (m^3/s)	平均流量 (m^3/s)	含沙量 (kg/m^3)	潼关高程升降值(m)		
					洪水期	平水期	汛期
1974	30	7 040	1 854	79.0	−1.13	0.64	−0.49
1975	112	5 910	3 127	34.4	−0.73	−0.46	−1.19
1976	72	9 220	3 862	31.2	−0.75	0.16	−0.59
1977	30	15 400	2 768	242.7	−1.77	1.19	−0.58
1978	88	7 300	2 501	59.7	−0.11	−0.10	−0.21
1979	55	11 100	2 828	57.5	0.11	−0.25	−0.14
1980	65	3 180	1 574	41.9	−0.52	0.08	−0.44
1981	98	6 540	3 545	32.6	−1.01	0	−1.01
1982	83	4 760	2 041	26.9	−0.23	−0.15	−0.38
1983	97	6 200	3 295	19.6	−0.76	−0.06	−0.82

续表 2-24

年份	历时(天)	洪峰流量(m^3/s)	平均流量(m^3/s)	含沙量(kg/m^3)	潼关高程升降值(m)		
					洪水期	平水期	汛期
1984	94	6 430	3 002	27.3	−0.27	−0.16	−0.43
1985	87	4 990	2 665	32.0	−0.14	−0.18	−0.32
1986	23	3 940	2 469	24.5	−0.65	0.75	0.10
1987	11	5 450	1 585	63.4	−0.04	−0.10	−0.14
1988	42	8 260	2 725	106.9	−0.17	−0.12	−0.29
1989	69	7 280	2 660	35.6	−0.77	0.51	−0.26
1990	33	4 430	1 811	49.0	−0.08	−0.07	−0.15
1991	11	3 310	1 283	68.1	0.16	−0.28	−0.12
1992	53	4 040	1 938	82.3	−1.18	0.08	−1.10
1993	48	4 440	1 967	37.4	−0.19	0.19	0
1994	29	7 360	2 166	146.7	−0.55	0.29	−0.26
1995	34	4 160	1 546	99.4	−0.22	0.38	0.16
1996	28	7 400	2 048	135.3	−0.33	−0.02	−0.35
1997	7	4 700	1 712	275.4	−1.76	1.41	−0.35
1998	24	6 500	1 898	85.2	−0.39	0.27	−0.12
1999	23	2 950	1 504	95.8	−0.47	0.16	−0.31
2000	9	2 270	1 413	27.4	−0.15	0	−0.15
1974 ~ 1979 年	64.5		2 953	58.9	−0.73	0.21	−0.53
1980 ~ 1985 年	87.3		2 773	28.6	−0.49	−0.08	−0.57
1986 ~ 1992 年	34.6		2 268	61.2	−0.39	0.11	−0.28
1993 ~ 2000 年	25.3		1 841	98.3	−0.51	0.34	−0.17

从时段平均看，1974 ~ 1985 年洪水期平均下降 0.61 m，汛期下降 0.55 m。个别年份洪水期下降值较大，如 1977 年为 1.77 m，1981、1974 年均超过 1.0 m。1986 ~ 1995 年洪峰次数减少，历时短，峰值低，洪水期平均下降值减为 0.37 m，平水期回淤，汛期下降值只有 0.21 m。但 1992 年 8 月渭河高含沙洪水使潼关河床剧烈冲刷下降，冲刷之后形成窄深河槽，水流集中，洪水期下降值为 1.18 m，汛期下降 1.10 m。1996 年后洪峰次数更少，洪峰流量减小，但高含沙洪水增多，洪水期平均下降值高达 0.62 m，在持续时间很长的平水期回淤量大，汛期潼关高程仅下降 0.26 m。

潼关高程的变化极其复杂，洪水条件不同对潼关河床的影响存在极大差异。如黄河干流来水和渭河来水、一般洪水和高含沙洪水等对潼关高程的作用均具有不同的特点。当渭河发生高含沙洪水时，潼关河床容易发生剧烈冲刷调整。当渭河发生一般含沙洪水时，潼关高程的下降值与潼关流量有明确的趋势关系，流量越大，潼关高程冲刷下降值也越大。

桃汛期洪水对潼关河床的升降有一定影响。桃汛洪峰入库时，只要潼关以下河段处于畅流状态，潼关河床均能发生冲刷下降，并能减缓后期春灌蓄水淤积上升的程度；同时，由于桃峰的冲刷作用，可以使潼关以下河段前期淤积物向坝前搬移，有利于汛期将泥沙冲刷出库，保持年内冲淤平衡。分析表明，潼关高程升降与桃汛洪水的冲刷范围和水库运用水位有关。当水库起调水位为 315 m 左右时，冲刷范围从潼关到大禹渡上下；当起调水位较高，但不超过 320 m 时，冲刷范围从潼关到坩埚上下；当起调水位在 322 ~ 323 m 时，回水影响超过坩埚，潼关高程不下降或有所上升。

4.3.2 水库运用对潼关高程的影响

三门峡水库蓄清排浑运用以来，非汛期蓄水运用，汛期低水位排沙，对潼关高程的影响主要在非汛期。从表 2-25 可以看出，不同时段非汛期潼关高程的上升值与来水来沙没有明确的趋势关系，而与坝前高水位的持续时间关系密切。

表 2-25 非汛期特征值统计

时段(年·月)	非汛期		史家滩大于某级水位平均天数(天)			非汛期潼关高程上升值(m)
	水量(亿 m^3)	沙量(亿 t)	≥324m	≥322m	≥320m	
多年平均(1960 ~ 1985 年)	172.5	1.98				
1973.11~1979.10	161.7	1.71	28	74	104	0.70
1979.11~1985.10	167.5	1.51	4.5	58	87	0.40
1985.11~1992.10	157.4	2.06	1	39	64	0.37
1992.11~2000.10	127.7	1.77	0	4	44	0.30

4.3.2.1 1973 年 11 月 ~ 1979 年 10 月

在此时段内水库运用水位、淤积部位方面主要表现为：

(1)凌前蓄水位较高。时段内防凌蓄水位为 320 ~ 321 m，平均为 316.07 m，造成淤积部位靠上，淤积上延达黄淤 34 断面附近，使防凌和春灌蓄水淤积部位相叠加，给汛期冲刷非汛期淤积的泥沙增加了困难。

(2)防凌和春灌蓄水位高，淤积部位偏上，潼关河床上升。此阶段最高水位为 325.99 m，最高库水位平均值为 324.70 m，6 个运用年的非汛期平均库水位为 316.97 m，超过 324 m 的时间达 166 天，超过 325 m 的时间为 30 余天，显然，潼关断面也直接受水库回水影响。水库淤积重心在黄淤 31—黄淤 36 库段，与潼关高程升降有密切关系的黄淤 36—黄淤 41 断面(即坩埚—潼关)6 年淤积量达 1.026 亿 m^3，年平均淤积 0.171 亿 m^3，是控制运用以来的最大值。

从各运用年的变化来看，亦反映出各运用年非汛期运用水位高低、历时及来沙的组合，不仅影响非汛期库区的淤积分布，而且也影响潼关河床高程上升的幅度。如 1974、1977 年和 1979 年相比，库水位超过 320 m 的时间分别为 121、118 天和 132 天，但最高水位和超过 324 m 的运用历时各不相同。超过 324 m 历时：1974 年为 14 天、1979 年为 44 天，而 1977 年高水位最高、历时最长，高于 324 m 的历时达 77 天，高于 325 m 的历时达 30 余天。从库区淤积重心来看，1974 年和 1979 年在黄淤 30—黄淤 36 断面；1977

年由于回水超过潼关，淤积重心在黄淤36—黄淤41断面，该库段淤积量为0.389亿m^3，为历年最大值。相应潼关高程上升幅度有较大差异，1974年上升0.55 m，1979年上升0.67 m，而1977年上升达1.25 m。

(3)桃汛起调水位高。1973～1976年桃峰入库的起调水位为319.44～320.61 m，回水影响在坫垮附近，潼关河床当有所下降；1977～1979年的起调水位为322.3～323.4 m，回水超过坫垮，潼关高程没有下降，1977年还上升了0.19 m。表明后3年非汛期的运用，增加了潼关高程上升，对年内冲淤平衡不利。

1973～1979年潼关高程上升，主要是直接回水淤积的结果，上升的幅度取决于最高蓄水位及高水位历时、水库回水影响潼关时期的来沙量等。

4.3.2.2 1979年11月～1985年10月

此时段内水库的调度运用在总结前段运用的基础上，对水库运用水位做了调整。防凌前最高蓄水位为318.14 m(1985年)，最低为312.46 m(1983年)，时段平均为315.53 m，比前时段的317.92 m降低2.39 m。防凌运用根据黄河下游凌情变化也有调整，超过324 m的历时由前时段的164天下降为27天。春灌蓄水期，考虑到对潼关高程的冲淤变化的影响，最高蓄水位一般不超过324 m，桃峰入库前，库水位下降到317～318 m，使潼关以下库段保持畅流状态，为潼关河床冲刷和非汛期泥沙淤积部位下移创造有利条件。由于非汛期水库运用水位降低和高水位历时减少，黄淤36—黄淤41断面6年非汛期淤积总量为0.386亿m^3，年平均为0.064亿m^3，与前6年相比减少的幅度较大。6年非汛期潼关高程上升2.42 m，平均上升0.40 m，小于前6年的上升幅度。

4.3.2.3 1985年11月～2000年10月

在此时段，水库运用水位进一步下降，而且高水位运用历时不断减少。由于运用水位的变化，非汛期库区的淤积重心下移至黄淤22—黄淤30断面，淤积量占库区非汛期总淤积量的40%～45%。黄淤36—黄淤41断面非汛期淤积量占总淤积量的比例减小，在1985年11月～1986年6月和1994年11月～1995年6月两个运用年，非汛期还出现冲刷现象。特别是1992年11月～2000年10月非汛期超过320 m水位历时年平均为44天，超过322 m水位历时年平均只有4天，与1973年11月～1979年10月时段相比分别减少61%和95%，且最高运用水位没有超过324 m。这种情况表明，在1992年11月～2000年10月的8年中，坫垮至潼关库段基本不受水库回水影响，其潼关高程的升降，主要是来水来沙条件(包括龙羊峡水库调蓄)的影响。

非汛期潼关高程上升的幅度与各蓄水运用阶段(防凌前蓄水、防凌蓄水和春灌蓄水等)的运用最高水位、某级水位历时、前期河床冲淤条件、地形条件和进库沙量等有关，而且潼关高程升降也与坫垮至潼关库段的冲淤变化息息相关。水库最高蓄水位阶段持续时间越长，库区淤积部位越偏上，显然对潼关高程也越不利。非汛期的重要问题是控制泥沙的淤积部位，通过采用合理运用方式，尽可能减少坫垮至潼关库段的淤积和避免潼关直接受回水的影响。

汛期洪峰排沙与水库运用和来水来沙条件存在相互依赖的关系。要使洪水期保持一定的冲刷能力，必须根据来水来沙条件，灵活控制运用水位，尤其是对大洪水或较大洪水，应力求少淤多排，尽可能地使水库实现年内冲淤平衡，在沿程冲刷和溯源冲刷的联合作用下，控制潼关高程的变化。

潼关河床长系列的冲淤调整，是来水来沙条件、水库运用水位、库区淤积分布等共同作用的结果。如 1973 ~ 1979 年为丰水时段，但运用水位高，非汛期淤积量多，年内难以达到冲淤平衡；1993 年以后运用水位降低，非汛期淤积量少，但汛期水量极枯，年内仍达不到冲淤平衡。图 2-27 为三门峡库区历年汛后同流量水位的变化，北村水位 1986 年以后有明显的下降趋势，而大禹渡以上则呈淤积上升的趋势。这说明，在小水的作用下，坝前水位降低造成的溯源冲刷范围有限，同时沿程冲刷的调整作用也极其微弱，汛期的冲刷量小于非汛期的淤积量，对潼关高程极为不利。

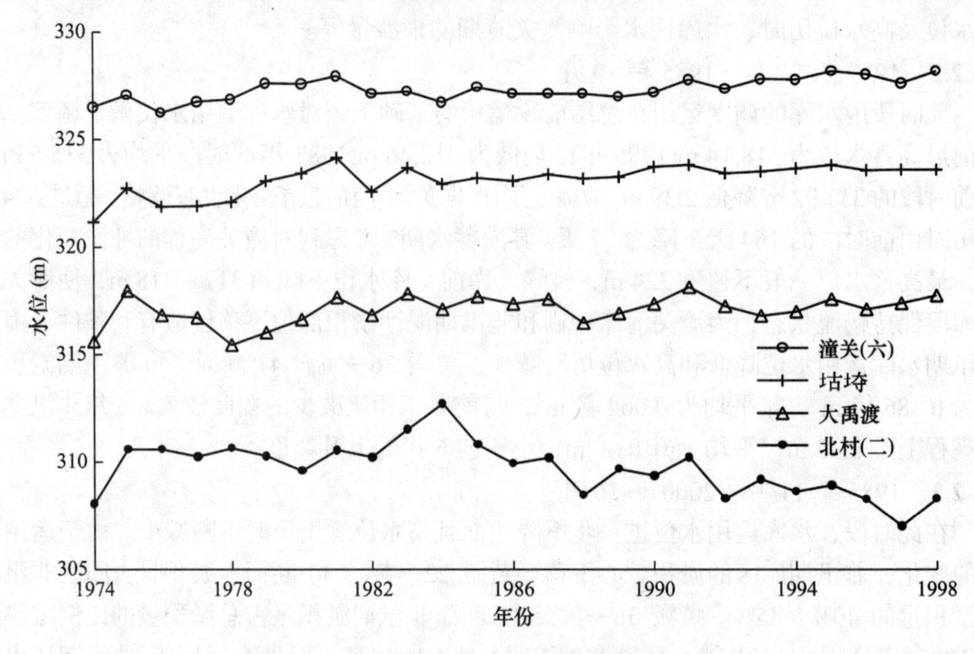

图 2-27　汛后库区 1 000 m^3 / s 水位变化过程

5　小结

1986 年以来，潼关的来水来沙条件发生了很大变化。汛期来水量大幅度减少，洪水和大流量频率降低。

随着水沙条件的变化，水库的运用方式也发生了变化。1986 年以来，尤其是 1993 以后，库水位在 322 m 以上的天数进一步减少，310 ~ 322 m 水位天数增加。北村直接受到回水影响的临界库水位为 308 m 左右；大禹渡直接受到回水影响的临界库水位为 315 m；坩埼直接受回水影响临界库水位 320 m；潼关受直接回水影响的库水位为 323.5 m。

非汛期水库的淤积重心部位与水库最高运用水位及各级运用水位持续长短有关。坝前水位越高，淤积重心部位越靠上，对潼关影响越大。黄淤 12—黄淤 36 河段在非汛期主要是滞沙区，在汛期又主要是冲刷区，年内呈大冲大淤的特点。

三门峡水库蓄清排浑运用以来，非汛期蓄水、汛期降低水位排沙，排沙量与水沙条件和坝前水位等有关。汛期排沙量由入库水流挟带的泥沙和非汛期淤积在库内的泥沙两部分组成，后者通过溯源冲刷和沿程冲刷等形式排出库外。汛初小水期排沙比较高，但总量少。洪水期平均净排沙量为汛期的 88%，是水库排沙的主要方式。平水期排沙受前期河床条件和水库控制运用水位等影响，不同时段的排沙效果也有较大差别。

坝前水位降低是产生溯源冲刷的前提条件，入库流量的大小和前期河床淤积形态是溯源冲刷发展的关键因素。溯源冲刷一般可发展到大禹渡附近；沿程冲刷主要发生在洪水期，一般发展到坫埼以下。

三门峡水库蓄清排浑运用以来，潼关高程变化的基本规律是非汛期升高，汛期降低。1973 年 11 月 ~ 1979 年 10 月，非汛期运用水位高，高水位运用时间长，特别是水库回水直接影响潼关，淤积部位偏上，潼关高程上升。1979 年 11 月 ~ 1985 年 10 月，来水来沙条件较好，并且水库运用改善，潼关高程降低。1985 年 10 月以后为典型的枯水系列，虽然水库运用水位进一步改善降低，非汛期上升值减小，而汛期的冲刷作用更小，潼关高程上升。

参考文献

[1] 彭梅香，赵莹莉．近十年气候变化对黄河中上游水沙影响分析．人民黄河，1997 (7)

[2] 程龙渊，刘拴明，等．三门峡库区水文泥沙实验研究．郑州：黄河水利出版社，1999

[3] 中国水利学会泥沙专业委员会．泥沙手册．北京：中国环境科学出版社，1992

[4] 杨庆安，龙毓骞，缪凤举．黄河三门峡水利枢纽运用与研究．郑州：河南人民出版社，1995

[5] 三门峡水库运用经验总结项目组．黄河三门峡水利枢纽运用研究文集．郑州：河南人民出版社，1994

[6] 武汉水利电力学院．河流泥沙工程学．北京：水利出版社，1982

[7] 焦恩泽，侯素珍等．潼关高程演变规律及其成因分析．泥沙研究，2001(2)

[8] 叶青超．黄河流域环境演变与水沙运行规律研究．济南：山东科学技术出版社，1994

第三章 小浪底水库运用初期三门峡水库运用方式

1 三门峡水库承担任务分析

小浪底水库投入运用前，三门峡水库所承担的任务主要是防洪、防凌、春灌和发电等。小浪底水库的开发目标以防洪、防凌、减淤为主，兼顾供水、灌溉和发电，最高运用水位为 275 m，相应库容 128.8 亿 m^3。小浪底水库拦沙库容淤满并形成高滩深槽的稳定剖面后，可保持长期有效库容 51 亿 m^3，其中防洪运用库容 40.5 亿 m^3，调水调沙库容 10.5 亿 m^3。在小浪底水库运用初期，水位 220 ~ 275 m 之间有 95 亿 m^3 可调节库容，防洪和防凌能力很强。因此，小浪底水库投入运用后，特别是在小浪底水库运用初期，三门峡水库原承担的任务将有所变更或减轻，有些任务将主要或全部由小浪底水库承担。

1.1 防洪

三门峡水库控制了黄河下游洪水三大来源区的两个，同时对三门峡至花园口区间的大洪水也能起到错峰和补偿调节作用。从 1960 年建成运用以来，潼关站入库流量有 6 次大于 10 000 m^3 / s，由于水库的滞洪调节作用，最大下泄流量 8 900 m^3 / s，从而减轻了下游的防洪负担和漫滩淹没损失。三门峡水库的防洪运用水位为 335 m，相应库容约 56 亿 m^3，汛期限制水位 305 m。根据黄河水利委员会勘测规划设计研究院(简称黄委会设计院)资料，各级水位下的库容和泄流能力见表 3-1。

表 3-1 三门峡水库各级水位下库容及泄流能力

水位(m)	305	310	315	320	326	328	330	335
库容(亿 m^3)	0.09	0.77	2.41	6.30	17.83	23.70	30.19	56.48
泄量(m^3 / s)	5 502	7 873	9 803	11 300	12 800	13 247	13 690	14 605

黄河下游的防洪已初步建成了由小浪底、三门峡、陆浑、故县等干支流水库和下游堤防、河道整治工程、分滞洪工程组成的黄河下游防洪工程体系，还进行了防洪非工程措施的建设。各防汛工程的指标如下。

1.1.1 小浪底水库

小浪底水库库容及泄流能力采用黄委会设计院资料，其原始库容见表 3-2，经过淤积，预计 2002 年汛前库容和泄流能力见表 3-3。小浪底水库初期防洪运用条件采用 2002 年汛前的库容曲线，防洪起调水位 220 m。

表 3-2　小浪底水库库容(原始库容)

高程(m)	150	170	190	205	210	220	230	250	265	275
库容(亿 m^3)	0.51	3.24	9.49	17.66	21.41	30.51	41.93	72.66	103.82	128.83

表 3-3　小浪底水库 2002 年汛前库容及泄流能力

水位(m)	220	230	240	250	260	270	275
库容(亿 m^3)	16.35	25.35	38.60	55.50	75.50	99.10	112.00
泄量(m^3 / s)	6 951	8 148	9 547	10 672	11 159	12 947	14 872

1.1.2　黄河下游堤防

黄河下游共有堤防 2 291 km，其中临黄大堤 1 371 km，按花园口站 22 000 m^3 / s 洪水设防。考虑河道滩区滞洪削峰作用及分滞洪区的作用后，沿程各站的设计防洪流量见表 3-4。

表 3-4　黄河下游各主要断面大堤设计防洪流量与超高

断面	花园口	柳园口	夹河滩	石头庄	高村	邢庙	孙口	艾山以下
设防流量(m^3 / s)	22 000	21 700	21 500	21 200	20 000	18 200	17 500	11 000
大堤超高(m)	3.0	3.0	3.0	3.0	3.0	2.5	2.5	2.1

1.1.3　东平湖滞洪区

东平湖滞洪库容见表 3-5。东平湖滞洪区共有堤防(含河湖两用堤)126.9 km，围堤堤顶高程 48.5 m，二级湖堤堤顶高程 48.0 m。现在使用的分洪闸有 3 座(石洼、林辛、十里堡)，设计总分洪能力为 8 500 m^3 / s。退水闸在老湖区有陈山口和清河门两座，设计总泄洪能力为 2 500 m^3 / s；在新湖区有司垓退水闸，设计泄洪能力为 1 000 m^3 / s。

表 3-5　东平湖水库库容

水位(m)		39.0	40.0	41.0	42.0	43.0	44.0	45.0
库容(亿 m^3)	老湖区	0.10	0.98	2.37	3.95	5.18	7.77	9.87
	新湖区	0.83	3.37	7.00	11.20	15.32	19.54	23.67
	合计	0.93	4.35	9.37	15.15	20.50	27.31	33.54

1.1.4　陆浑水库和故县水库

陆浑水库位于洛河最大支流伊河中游的河南省嵩山县境内，控制伊河流域面积 3 492 km^2，总库容 13.86 亿 m^3，水库坝顶高程 333 m。

故县水库位于黄河支流洛河中游峡谷区，河南省洛宁县境内。控制流域面积 5 370 km^2，坝顶高程 553 m，总库容 11.75 亿 m^3，近期防洪库容 7 亿 m^3。

上述两个支流水库所承担的防洪任务是削减本流域下游的洪峰流量和黄河下游洪

水的洪峰流量与超万洪量。

小浪底水库建成前，对于“上大洪水”，主要由三门峡水库进行控制，但这种洪水的含沙量大，若拦洪运用就会造成水库的严重淤积。为了长期有效地发挥水库对下游洪水的控制作用，必须限制三门峡水库的拦洪运用几率；但若完全敞泄运用，则既淹了库区，又淹了下游。为此，按照上下兼顾，合理运用的原则，选择了“先敞后控”的调洪运用方式，其具体操作为：当入库流量小于库水位 305 m 对应的泄流能力时，按入库流量下泄；否则，按敞泄滞洪运用。当库水位达到最高水位(入库与出库流量相等时的滞洪库水位)时，若花园口站洪水流量仍大于 10 000 m^3／s，为了减轻下游滞洪区的分洪负担，控制最高滞洪库水位，按入库流量下泄；若来水小于 10 000 m^3／s 时，出库按凑泄花园口 10 000 m^3／s 来运用，如若凑泄不够，则三门峡水库敞泄，直至洪水过后库水位回落到 305 m。

对于“下大洪水”，三门峡水库承担着尽可能削减花园口站洪峰流量和拦蓄花园口 10 000 m^3／s 以上的洪量，具体运用方式为：①当预报花园口洪峰流量小于 12 000 m^3／s 时，水库按“敞泄滞洪”方式运用；②当预报花园口洪峰流量大于 12 000 m^3／s，按气象预报还有后续降水、花园口站有可能超过 22 000 m^3／s 流量时，水库关闭部分泄水孔(所关闭孔的泄水能力相当于增建部分的泄水能力)，进入初期控制运用；③当预报花园口洪峰流量大于 22 000 m^3／s 时，关闭水库的全部泄水孔，进入全面控制运用；④洪峰过后，为避免无效蓄水，按控制花园口流量 10 000 m^3／s 下泄；⑤如在初期控制运用后，预报花园口站流量达不到 22 000 m^3／s，则水库下泄流量不得小于剩余孔的泄水能力。

小浪底水库建成后，在一定程度上减轻了三门峡水库的防洪负担。对主要来自三门峡以下的“下大洪水”，花园口洪水小于百年一遇时，由小浪底水库单独承担防洪任务；大于百年一遇洪水，三门峡水库才开始配合小浪底水库防洪运用。小浪底水库与三门峡、陆浑、故县等干支流水库联合运用，可以在下游发生千年一遇洪水时不使用北金堤滞洪区，百年一遇洪水时不使用东平湖库区。

但是，小浪底水库运用后，防洪仍然是三门峡水库承担的首要任务。小浪底水库长期有效防洪库容为 40.5 亿 m^3，比目前三门峡水库约 56 亿 m^3 的防洪库容还要小；如果不考虑三门峡水库的防洪作用，而由小浪底水库完全取代，那么黄河下游的防洪标准将比目前还要低。如果发生“上大洪水”，而三门峡水库始终敞泄运用，根据计算分析，对于超过百年一遇的洪水，小浪底水库单库将不能完全控制干流洪水，即使在小浪底水库的运用初期，可以利用的库容很大，发生万年一遇的“上大洪水”时，也不允许三门峡水库始终敞泄运用，而要相机对其加以控制方能满足下游防洪要求。

值得指出的是，当发生三门峡以上来水为主的洪水时，由于三门峡水库位置靠上，三门峡水库的最高滞蓄水位受泄流规模控制，其最大滞蓄洪量出现在小浪底水库最大滞蓄洪量之前，即三门峡、小浪底两库联合运用并不改变三门峡水库的最高滞蓄水位。因此，小浪底水库投入运用后，遇一定标准洪水时，尽可能缩短三门峡水库高水位持续时间，以减轻库区尤其是潼关以上库区的淤积成为水库防洪调度的关键所在。

小浪底水库建成运用初期，三门峡水库配合小浪底水库等黄河下游防洪工程防洪运用方式的拟定，既要考虑黄河下游防洪要求，又要考虑水库泥沙淤积状况，还要权衡晋、陕、豫、鲁四省利弊关系等。其防洪运用应按照“上下兼顾，合理运用”的原则，根据洪水来源和来沙条件，三门峡水库尽可能不拦蓄一般洪水，以便减轻泥沙淤积对库区的不利影响。近期若发生危害下游的“上大洪水”，就要考虑在洪水不超过小浪底水库初期移民限制高程前提下(2001～2003 年移民高程为 265～275 m)，尽量发挥小浪底水库运用初期库容较大的有利条件，以小浪底水库为主，三门峡水库配合，并视洪水状况利用东平湖滞洪区共同承担防洪任务，以减轻黄河下游的洪水灾害，确保黄河大堤防洪安全。

1.2 防凌

三门峡水库建成运用之前，黄河下游的防凌措施主要靠人工破冰，而这种措施不能完全避免凌汛决口。三门峡水库建成运用以后，黄河下游的防凌措施发展到利用三门峡水库进行凌前和凌期蓄水，控制下泄流量和河道水量，以减轻下游的凌汛威胁。三门峡水库投入防凌运用 30 多年来，避免了小流量封河，推迟了封河时间，减小了凌峰流量及减少了“武开河”，黄河下游未再发生过凌汛决口，大大降低了凌汛灾害，取得了很大成效。

三门峡水库现行防凌运用水位为 326 m，相应库容 17 亿～18 亿 m^3。水库的最高防凌运用水位为 327.91 m(1968 年 2 月 29 日)，相应蓄水量 18.1 亿 m^3。1977 年 3 月 1 日防凌蓄水位为 325.99 m。如前所述，当水库蓄水位为 314～315 m 时，水库回水影响到大禹渡上下(黄淤 31—黄淤 32 断面)；当蓄水位为 320 m 时，回水影响到坫垮上下(黄淤 36—黄淤 37 断面)；当库水位为 323.5～324.5 m 时，潼关将直接受到水库蓄水时的回水影响。水库蓄水必将带来水库的淤积，对三门峡水库来讲，由于其特殊的地理位置和特征，潼关高程对其上游河段起临时基准面的作用，所以潼关河床高程的抬高将使潼关以上河床发生淤积，影响上游河道的排洪能力和农田受淹。据实测资料分析，三门峡水库坫垮至潼关库段的冲淤，将直接影响到潼关河床的下降或上升。若库水位较高，水库淤积的部位偏上，水库在泄流时这部分淤积的泥沙很难冲刷出库，在不利的入库水沙条件下，不但更难排除，还会在第二年蓄水时，在头年没有排除的淤积物上叠加淤积，使淤积向上游延伸，致使潼关河床持续抬升，以致发展到居高不下。20 世纪 70 年代以及 90 年代都有类似情况发生。目前潼关高程仍呈居高不下趋势，2000 年汛末潼关高程为 328.33 m。

通过对 1950～1975 年实测资料的统计分析，并考虑上游龙羊峡、刘家峡水库的调节，在小浪底水利枢纽设计中拟定的防凌运用方式为：黄河下游防凌需求库容为 35 亿 m^3，由小浪底水库承担 20 亿 m^3，三门峡水库承担 15 亿 m^3。为了减轻三门峡水库防凌负担，在防凌运用时，先由小浪底水库拦蓄，蓄满 20 亿 m^3 后，三门峡水库再参与防凌运用。因此，三门峡水库防凌运用几率有较大的减少，防凌蓄水位也有降低。

与防洪运用考虑的角度相同，为了发挥小浪底水库初期库容大的特点，确保水库运用尽可能使潼关高程朝有利的方向变化，在小浪底水库运用初期，一般年份黄河下游的防凌任务可全部由小浪底水库承担，三门峡水库不进行防凌运用；遇特殊情况，三门峡水库配合小浪底水库承担部分防凌任务，防凌蓄水位拟控制在 320 m(相应库容约 7 亿 m^3)以下为宜。随着小浪底水库可调节库容的减小及正常运用期的到来，遇严重凌情年份，小浪底水库单独承担下游的防凌任务会有困难，三门峡水库需配合小浪底水库承担部分防凌任务。

1.3 春灌

近年来，黄河下游引水量约为 110 亿 m^3，其中灌溉用水近 100 亿 m^3，约占黄河下游引水量的 90%。黄河下游引黄灌溉用水主要集中在每年 3~6 月份的春灌期，而此时适逢黄河枯水季节。据统计，近年来每年 3~6 月份引水约占全年引水量的 52%，相当于同期来水量的 54%。1980~1990 年，利津站年平均入海水量约为 284 亿 m^3，而 3~6 月仅为 37.6 亿 m^3 左右。

为了黄河下游春灌，三门峡水库在凌汛过后调蓄部分桃汛来水，春灌蓄水位控制在 324 m 以下。三门峡水库自承担春灌蓄水任务以来，为黄河下游两岸地区工农业的发展作出了很大贡献，但三门峡水库春灌蓄水运用，也对水库库区泥沙淤积带来了不利影响。据统计，1972~1991 年，三门峡水库春灌蓄水平均每年为 104 天，最长达 138 天，最短 66 天，最高蓄水位 326.05 m(1973 年)，最低蓄水位 319.6 m。春灌蓄水期潼关站多年平均来水量 79.2 亿 m^3，最大值 112.4 亿 m^3，最小值 42.0 亿 m^3；多年平均来沙量 0.82 亿 t，最大值 2.95 亿 t，最小值 0.38 亿 t。若扣除桃汛对潼关河床冲刷的影响，春灌蓄水期潼关高程多年平均上升 0.18 m，最大上升值为 0.41 m(1991 年 1 月 14 日~6 月 15 日)。

由于近年来汛期三门峡水库来水来沙大幅度减少，洪水对潼关河床的冲刷作用明显减弱，所以三门峡水库非汛期蓄水最高水位应向下进行调整，以降低淤积部位和减小潼关高程在非汛期的上升幅度。考虑到小浪底水库运用初期兴利库容较大，原由三门峡水库承担的春灌任务可由小浪底水库替代，三门峡水库一般不再承担对黄河下游的春灌任务。

1.4 发电与减淤

发电是三门峡水利枢纽的重要开发目标之一。枢纽按照改建方案实施后，1973 年 12 月 26 日第一台机组并网发电。1~5 号机组每台设计引用流量 200 m^3/s，单机容量 5 万 kW；6~7 号机组每台设计引用流量 250 m^3/s，单机容量 7.5 万 kW，电站总装机容量为 40 万 kW，年发电量 10 亿~13 亿 kW·h。截至 2000 年年底，三门峡水电站共累计发电约 259 亿 kW·h，创造了可观的经济效益。

小浪底水库投入运用前，三门峡水库在非汛期要承担全部防凌、春灌蓄水任务，致使蓄水位在 320 m 甚至高达 326 m 以上持续的时间很长，严重影响潼关高程。这种情况对于发电而言既有好处也有不足，好处是水头高且基本为清水有利于发电，不足之处在于发电出力受到限制或产生弃水；另外，水电站也不能很好地发挥调峰作用。小浪底水库投入运用后，防凌和春灌所需的蓄水量将全部或大部分转由小浪底水库承担，三门峡水库非汛期调节水位的主要目的在于发电。针对三门峡库区目前严重的淤积形势，发电运用应在不影响潼关高程升降变化的前提下进行，同时尽可能使机组在最优工况区运行，并满足调峰需求。为了保证三门峡水库在 5、6 月份来水较小时能维持 1~2 台机组发电，需调蓄部分桃汛水，但蓄水水位应尽量降低，蓄水时间尽量缩短，使非汛期淤积的泥沙主要分布在大禹渡以下，以有利于汛期通过水库调节冲刷出库；淤积末端限于坫垮附近，以不增加潼关至坫垮河段的淤积量，不影响潼关高程的升降。汛期三门峡水库可在平水期进行发电，但前提首先是满足防洪排沙，使水库冲淤达到年内平衡。

调沙减淤是小浪底水库优先开发的目标之一。小浪底水库运用后，进入下游河道的水沙条件将直接受小浪底水库的再调节，为了提高水库对下游河道的减淤效益，汛期原由三门峡水库承担的对下游调沙减淤任务要转由小浪底水库负担。但根据近十几年的实测资料，三门峡水库冲刷排沙流量大于 2 500～3 000 m^3 / s 出现的几率在不断减小，因此需要根据入库水沙特点重新选择排沙流量，合理处理排沙与发电的关系，以期达到既有利于减轻水库淤积，又充分发挥三门峡水库的综合效益的目的。

1.5 水库运用原则

三门峡水库运用的实践表明，多泥沙河流上的水库运用同一般清水河流的水库不同，其水库运用在调节径流的同时，必须进行泥沙调节；而水库运用的各项指标，不仅受径流调节的限制，更重要的是要受泥沙冲淤制约。这一经验对小浪底水库建成后的三门峡水库仍然适用。

小浪底水库投入运用后，防洪依然是三门峡水库的首要任务，防凌、春灌和调沙减淤等任务主要由小浪底水库承担。在防洪方面，针对三门峡水库目前的淤积状况和小浪底水库初期库容大的特点，三门峡水库应配合小浪底水库共同承担防洪任务。通过以上分析，可以得出以下三门峡水库的运用原则：小浪底水库建成运用初期，如发生危害下游的洪水，要以小浪底水库为主，三门峡水库配合，并视洪水状况利用东平湖共同承担防洪任务；三门峡水库在非汛期一般不再承担防凌和春灌任务；水库发电运用要遵循在不影响潼关高程升降的前提下，发挥三门峡水库综合效益；汛期原由三门峡水库承担的对下游调沙减淤任务转由小浪底水库承担；根据入库水沙特点重新选择汛期排沙流量，合理处理排沙与发电的关系。

2 三门峡水库防洪运用方式

三门峡、小浪底水库在防洪调度中应两库联合调度运用，在小浪底水库运用初期遇“下大洪水”时，拦洪任务可主要由小浪底水库承担；遇“上大洪水”时，在充分利用小浪底水库的前提下，应实行两库联合调度。

2.1 小浪底水库初期可能的防洪运用方式

2.1.1 小浪底水库不考虑保滩运用

当小浪底水库进库流量小于起调水位 220 m 对应的泄量时，按入库流量泄洪；否则，按凑泄花园口站流量 10 000 m^3 / s(或 12 000 m^3 / s)进行调节，在调节过程中，库水位不低于 220 m。

2.1.2 小浪底水库考虑保滩运用

参照黄委会设计院提出的《小浪底水库初期运用方式研究报告》的有关内容并作了部分补充，即当水库起调水位 220 m 以上滞蓄水量小于 18.9 亿 m^3时，水库按凑泄花园口流量

5 000 m³/s 泄洪(相当于平滩流量)。当蓄水量大于 18.9 亿 m³，且洪水又有上涨趋势时，运用方式改变为：当入库流量小于凑泄花园口 10 000 m³/s 的条件，控制库水位，按入库流量泄流；否则，按凑泄花园口 10 000 m³/s(或 12 000 m³/s)进行调节。

2.2 三门峡水库可能的防洪运用方式

2.2.1 三门峡水库敞泄运用

根据晋、陕、豫、鲁四省会议制定的原则，当三门峡以上发生大洪水时，敞开闸门泄洪；当预报花园口可能超过 22 000 m³/s 洪水时，根据上游来水情况，关闭部分或全部闸门，增建的泄水孔原则上应提前关闭。由于在小浪底水库运用初期，对于花园口站千年一遇以下的洪水，洪峰流量不可能超过 22 000 m³/s，所以在敞泄方案中，三门峡水库由 305 m 起调，全部闸门开启敞泄，直至洪水过后库水位回落到 305 m。

2.2.2 三门峡水库先敞后控运用

三门峡水库先按敞泄滞洪运用，当库水位达到最高水位时，水库开始控制运用：若入库流量加三花间相应流量大于 10 000 m³/s(或 12 000 m³/s)时，出库流量按入库流量下泄；若入库流量加三花间相应流量小于 10 000 m³/s(或 12 000 m³/s)时，出库按凑泄花园口 10 000 m³/s(或 12 000 m³/s)来确定，若凑泄不够，则三门峡水库敞泄，直到库水位回落至 305 m。

2.2.3 三门峡水库适时调控运用

三门峡和小浪底水库联合防洪运用中，主要使用小浪底水库控制干流洪水，减少三门峡水库高水位时间。洪水到来后，三门峡水库按敞泄滞洪运用；库水位达最高水位后仍敞泄，库水位降低，直至小浪底水库蓄水位上升到影响移民的某一临界水位值时(考虑 2001～2003 年小浪底库区正进行 265～275 m 高程间的移民搬迁，通过计算，临界水位取 259 m；小浪底库区移民搬迁完毕后，通过计算，临界水位取 269 m)，三门峡水库开始控制运用，以保持小浪底库水位不超过移民高程(前期 265 m，后期 275 m)。此时三门峡水库按入库流量泄放，当来水减少至凑泄花园口流量不到 10 000 m³/s(或 12 000 m³/s)时，则首先加大三门峡水库泄量凑够，直至库水位降至 305 m。

2.3 “上大洪水”水库防洪方案的计算与分析

2.3.1 水库防洪运用方案

按照上述三门峡水库的防洪调度运用原则，在小浪底水库运用初期发生大洪水时，对花园口断面百年一遇、千年一遇、万年一遇的“上大洪水”进行了调洪计算，计算的方案概括起来为三类方案，即三门峡水库敞泄方案、先敞后控方案和适时调控方案。在小浪底水库运用方案中，水库运用初期库容较大，水库移民高程分别为 265 m 和 275 m。在计算中按：①考虑了两个移民高程，提出了水库两个特征水位(259 m、269 m)；②下游保滩和不保滩；③花园口最大流量控制为 10 000 m³/s 和 12 000 m³/s。水库防洪运用方案共有 16 个计算方案，各方案组合情况见表 3-6。

2.3.2 设计洪水

设计洪水成果见表 3-7。

表 3-6　三门峡、小浪底水库防洪计算方案

方案		Ⅰ类		Ⅱ类		Ⅲ类	
水库运用方式	三门峡	敞泄		先敞后控		适时调控	
	小浪底	花园口最大流量(m^3/s)		花园口最大流量(m^3/s)		花园口最大流量(m^3/s)	
		10 000	12 000	10 000	12 000	10 000	12 000
		①不保滩 ②保滩	①不保滩 ②保滩	①不保滩 ②保滩	①不保滩 ②保滩	(1)小浪底 259 m ①不保滩 ②保滩 (2)小浪底 269 m ①不保滩 ②保滩	(1)小浪底 259 m ①不保滩 ②保滩 (2)小浪底 269 m ①不保滩 ②保滩
备注		三门峡水库洪水入库后敞泄运用		三门峡水库洪水入库后，水库先敞泄，当小浪底库水位达到最高值时开始控制运用		三门峡水库洪水入库后，先敞泄，待小浪底库水位达到 259 m 或 269 m 时，三门峡水库开始控制运用	

表 3-7　三门峡水库、小浪底水库、花园口设计洪水成果

站名	项目	百年一遇	千年一遇	万年一遇
三门峡	洪峰流量(m^3/s)	27 500	40 000	52 340
	12 天洪量(亿 m^3)	104	136	168
小浪底	洪峰流量(m^3/s)	27 500	40 000	52 300
	12 天洪量(亿 m^3)	106	139	172
花园口	洪峰流量(m^3/s)	29 200	42 300	55 000
	12 天洪量(亿 m^3)	125	164	201

2.3.3　计算成果

按照三门峡、小浪底水库的防洪运用原则对花园口断面百年一遇、千年一遇、万年一遇的“上大洪水”进行了调洪计算，各方案计算成果如下。

2.3.3.1　三门峡水库敞泄运用方案

三门峡、小浪底两库调洪计算成果见表 3-8 和表 3-9。

表 3-8　三门峡敞泄三门峡、小浪底两水库调洪计算结果特征值

洪水频率	水库名称	运用方式	最高水位(m)		相应蓄滞洪量(亿 m^3)	
			①	②	①	②
百年一遇	三门峡	敞　泄	325.42	325.42	16.350	16.350
	小浪底	不保滩	243.60	240.73	28.341	23.477
		保　滩	251.53	241.16	42.213	34.347
千年一遇	三门峡	敞　泄	330.69	330.69	33.710	33.710
	小浪底	不保滩	259.81	252.46	58.777	44.061
		保　滩	266.76	259.83	75.093	58.800
万年一遇	三门峡	敞　泄	334.46	334.46	53.560	53.560
	小浪底	不保滩	272.97	263.97	90.405	68.527
		保　滩	*	269.46	*	81.483

注：1. ①指控制花园口最大流量 10 000 m^3/s，②指控制花园口最大流量 12 000 m^3/s；

2. *表示最高水位已超过 275 m。

表 3-9　三门峡敞泄运用出现大于某级水位的历时统计　（单位：h）

频率	≥315 m	≥318 m	≥320 m	≥323 m	≥326 m	≥328 m	≥330 m	≥332 m	最高水位(m)
33 年实测	140	96	76	0	0	0	0	0	322.44
百年一遇	188	152	120	84	0	0	0	0	325.42
千年一遇	372	328	276	200	148	112	68	0	330.69
万年一遇	488	456	432	364	324	288	208	132	334.46

2.3.3.2　三门峡水库先敞后控运用方案

在方案计算中选用了凑泄花园口站流量 10 000 m³ / s 和 12 000 m³ / s 两种情况，计算结果见表 3-10、表 3-11、表 3-12。

表 3-10　三门峡先敞后控两水库调洪计算结果特征值

洪水频率	水库名称	运用方式	最高水位(m)		相应蓄滞洪量(亿 m³)	
			①	②	①	②
百年一遇	三门峡	先敞后控	325.42	325.42	16.350	16.350
	小浪底	不保滩	238.52	237.57	20.286	19.026
		保滩	245.35	243.08	31.295	27.451
千年一遇	三门峡	先敞后控	330.69	330.69	33.710	33.710
	小浪底	不保滩	246.72	247.52	33.599	34.956
		保滩	255.38	252.71	49.914	44.575
万年一遇	三门峡	先敞后控	334.46	334.46	53.560	53.560
	小浪底	不保滩	254.20	252.73	47.543	44.601
		保滩	262.73	261.45	65.585	62.568

注：①指控制花园口最大流量 10 000 m³ / s；②指控制花园口最大流量 12 000 m³ / s。

表 3-11　三门峡先敞后控运用库水位大于某级水位的历时统计

(花园口最大流量 10 000 m³ / s)　（单位：h）

频率	≥315 m	≥318 m	≥320 m	≥323 m	≥326 m	≥328 m	≥330 m	≥332 m	最高水位(m)
百年一遇	368	332	296	180	0	0	0	0	325.42
千年一遇	628	588	548	464	392	328	180	0	330.69
万年一遇	700	684	668	628	620	616	596	480	334.46

表 3-12　三门峡先敞后控运用库水位大于某级水位的历时统计

(花园口最大流量 12 000 m³ / s)　（单位：h）

频率	≥315 m	≥318 m	≥320 m	≥323 m	≥326 m	≥328 m	≥330 m	≥332 m	最高水位(m)
百年一遇	252	212	176	136	0	0	0	0	325.42
千年一遇	456	420	384	340	296	200	132	0	330.69
万年一遇	680	652	624	560	504	440	392	312	334.46

2.3.3.3　三门峡水库适时调控运用方案

在方案计算中除凑泄花园口流量 10 000 m^3/s 和 12 000 m^3/s 两种情况外，考虑到小浪底水库 2001～2003 年移民高程分别为 265 m 和 275 m。在计算中为了移民安全，选用了两个特征水位，即 259 m 和 269 m，使水库最高水位分别不超过 265 m 和 275 m。花园口按 10 000 m^3/s 和 12 000 m^3/s 两种流量控制。

两水库调洪计算结果见表 3-13、表 3-14；两库调洪计算结果中大于某级水位的历时数见表 3-15~表 3-22。

表 3-13　三门峡适时调控运用两水库调洪计算结果特征值

(小浪底特征水位 259 m)

洪水频率	水库名称	运用方式	最高水位(m)		相应蓄滞洪量 (亿 m^3)	
			①	②	①	②
百年一遇	三门峡	适时调控	325.42	325.42	16.350	16.350
	小浪底	不保滩	√	√	√	√
		保滩	√	√	√	√
千年一遇	三门峡	适时调控	330.69	330.69	33.710	33.710
	小浪底	不保滩	259.23	√	57.617	√
		保滩	261.37	259.55	62.384	58.255
万年一遇	三门峡	适时调控	334.46	334.46	53.560	53.560
	小浪底	不保滩	263.17	260.53	66.621	60.397
		保滩	264.75	262.61	70.353	65.300

注：1. ①指控制花园口最大流量 10 000 m^3/s，②指控制花园口最大流量 12 000 m^3/s；

2. "√" 表示三门峡水库始终敞泄，小浪底水位不到 259 m。

表 3-14　三门峡适时调控运用两水库调洪计算结果特征值

(小浪底特征水位 269 m)

洪水频率	水库名称	运用方式	最高水位(m)		相应蓄滞洪量(亿 m^3)	
			①	②	①	②
百年一遇	三门峡	适时调控	325.42	325.42	16.350	16.350
	小浪底	不保滩	√	√	√	√
		保滩	√	√	√	√
千年一遇	三门峡	适时调控	330.69	330.69	33.710	33.710
	小浪底	不保滩	√	√	√	√
		保滩	√	√	√	√
万年一遇	三门峡	适时调控	334.46	334.46	53.560	53.560
	小浪底	不保滩	269.18	√	80.810	√
		保滩	272.59	269.00	89.424	80.383

注：1. ①指控制花园口最大流量 10 000 m^3/s，②指控制花园口最大流量 12 000 m^3/s；

2. "√" 表示三门峡水库始终敞泄，小浪底水位不到 269 m。

(1)适时调控花园口最大流量为 10 000 m³ / s 时：①当小浪底特征水位为 259 m 时，三门峡适时调控计算结果见表 3-15、表 3-16；②当小浪底特征水位为 269 m 时，三门峡适时调控计算结果见表 3-17、表 3-18。

(2)适时调控花园口最大流量为 12 000 m³ / s 时：①当小浪底特征水位为 259 m 时，三门峡适时调控计算结果见表 3-19、表 3-20；②当小浪底特征水位为 269 m 时，三门峡适时调控计算结果见表 3-21、表 3-22。

表 3-15　三门峡适时调控运用库水位大于某级水位的历时统计

(小浪底不保滩，259 m，花园口最大流量 10 000 m³ / s)　（单位：h）

频率	≥ 315 m	≥ 318 m	≥ 320 m	≥ 323 m	≥ 326 m	≥ 328 m	≥ 330 m	≥ 332 m	始控水位 (m)	最高水位 (m)
百年一遇	188	152	120	84	0	0	0	0	始终敞泄	325.42
千年一遇	384	340	276	200	148	112	68	0	319.21	330.69
万年一遇	700	684	668	616	552	432	340	132	330.73	334.46

表 3-16　三门峡适时调控运用库水位大于某级水位的历时统计

(小浪底保滩，259 m，花园口最大流量 10 000 m³ / s)　（单位：h）

频率	≥ 315 m	≥ 318 m	≥ 320 m	≥ 323 m	≥ 326 m	≥ 328 m	≥ 330 m	≥ 332 m	始控水位 (m)	最高水位 (m)
百年一遇	188	152	120	84	0	0	0	0	始终敞泄	325.42
千年一遇	488	448	408	344	196	112	68	0	327.11	330.69
万年一遇	700	684	668	628	620	612	564	388	333.55	334.46

表 3-17　三门峡适时调控运用库水位大于某级水位的历时统计

(小浪底不保滩，269 m，花园口最大流量 10 000 m³ / s)　（单位：h）

频率	≥ 315 m	≥ 318 m	≥ 320 m	≥ 323 m	≥ 326 m	≥ 328 m	≥ 330 m	≥ 332 m	始控水位 (m)	最高水位 (m)
百年一遇	188	152	120	84	0	0	0	0	始终敞泄	325.42
千年一遇	372	328	276	200	148	112	68	0	始终敞泄	330.69
万年一遇	644	608	572	424	324	288	208	132	325.98	334.46

表 3-18　三门峡适时调控运用库水位大于某级水位的历时统计

(小浪底保滩，269 m，花园口最大流量 10 000 m³ / s)　（单位：h）

频率	≥ 315 m	≥ 318 m	≥ 320 m	≥ 323 m	≥ 326 m	≥ 328 m	≥ 330 m	≥ 332 m	始控水位 (m)	最高水位 (m)
百年一遇	188	152	120	84	0	0	0	0	始终敞泄	325.42
千年一遇	372	328	276	200	148	112	68	0	始终敞泄	330.69
万年一遇	700	680	656	580	452	368	208	132	329.71	334.46

表 3-19 三门峡适时调控运用库水位大于某级水位的历时统计

(小浪底不保滩，259 m，花园口最大流量 12 000 m^3／s)　（单位：h）

频率	≥ 315 m	≥ 318 m	≥ 320 m	≥ 323 m	≥ 326 m	≥ 328 m	≥ 330 m	≥ 332 m	始控水位 (m)	最高水位 (m)
百年一遇	188	152	120	84	0	0	0	0	始终敞泄	325.42
千年一遇	372	328	276	200	148	112	68	0	始终敞泄	330.69
万年一遇	546	508	480	408	348	308	208	132	329.10	334.46

表 3-20 三门峡适时调控运用库水位大于某级水位的历时统计

(小浪底保滩，259 m，花园口最大流量 12 000 m^3／s)　（单位：h）

频率	≥ 315 m	≥ 318 m	≥ 320 m	≥ 323 m	≥ 326 m	≥ 328 m	≥ 330 m	≥ 332 m	始控水位 (m)	最高水位 (m)
百年一遇	188	152	120	84	0	0	0	0	始终敞泄	325.42
千年一遇	372	336	276	200	148	112	68	0	319.97	330.69
万年一遇	620	588	556	464	412	364	316	140	332.15	334.46

表 3-21 三门峡适时调控运用库水位大于某级水位的历时统计

(小浪底不保滩，269 m，花园口最大流量 12 000 m^3／s)　（单位：h）

频率	≥ 315 m	≥ 318 m	≥ 320 m	≥ 323 m	≥ 326 m	≥ 328 m	≥ 330 m	≥ 332 m	始控水位 (m)	最高水位 (m)
百年一遇	188	152	120	84	0	0	0	0	始终敞泄	325.42
千年一遇	372	328	276	200	148	112	68	0	始终敞泄	330.69
万年一遇	488	456	432	364	324	288	208	132	始终敞泄	334.46

表 3-22 三门峡适时调控运用库水位大于某级水位的历时统计

(小浪底保滩，269 m，花园口最大流量 12 000 m^3／s)　（单位：h）

频率	≥ 315 m	≥ 318 m	≥ 320 m	≥ 323 m	≥ 326 m	≥ 328 m	≥ 330 m	≥ 332 m	始控水位 (m)	最高水位 (m)
百年一遇	188	152	120	84	0	0	0	0	始终敞泄	325.42
千年一遇	372	328	276	200	148	112	68	0	始终敞泄	330.69
万年一遇	492	464	436	364	324	288	208	132	321.27	334.46

2.3.4 防洪运用方案计算成果分析

2.3.4.1 千年一遇洪水

千年一遇洪水各方案调洪计算的最高库水位及三门峡水库大于某级水位历时成果见表 3-23、表 3-24。

表 3-23　千年一遇洪水三门峡水库不同运用方案库水位大于某级水位的历时统计

(花园口最大流量 10 000 m³／s)　　（单位：h）

水库运用方式		≥ 315 m	≥ 320 m	≥ 326 m	≥ 330 m	≥ 332 m	三门峡开始 控制水位(m)	小浪底最高水位(m)	
三门峡	小浪底							不保滩	保滩
敞　泄		372	276	148	68	0	敞泄滞洪	259.81	266.76
先敞后控		628	548	392	180	0	330.69	246.72	255.38
适时调控	不保滩，259 m	384	276	148	68	0	319.21	259.23	
	保滩，259 m	488	408	196	68	0	327.11		261.37
	不保滩，269 m	372	276	148	68	0	敞泄滞洪	259.81	
	保滩，269 m	372	276	148	68	0	敞泄滞洪		266.76

表 3-24　千年一遇洪水三门峡水库不同运用方案库水位大于某级水位的历时统计

(花园口最大流量 12 000 m³／s)　　（单位：h）

水库运用方式		≥ 315 m	≥ 320 m	≥ 326 m	≥ 330 m	≥ 332 m	三门峡开始 控制水位(m)	小浪底最高水位(m)	
三门峡	小浪底							不保滩	保滩
敞　泄		372	276	148	68	0	敞泄滞洪	252.46	259.83
先敞后控		456	384	296	132	0	330.69	247.52	252.71
适时调控	不保滩，259 m	372	276	148	68	0	敞泄滞洪	252.46	
	保滩，259 m	376	276	148	68	0	319.97		259.83
	不保滩，269 m	372	276	148	68	0	敞泄滞洪	252.46	
	保滩，269 m	372	276	148	68	0	敞泄滞洪		259.83

2.3.4.2　万年一遇洪水

万年一遇洪水各方案调洪计算的最高库水位及三门峡水库大于某级水位历时成果见表 3-25、表 3-26。

表 3-25　万年一遇洪水三门峡水库不同运用方案库水位大于某级水位的历时统计

(花园口最大流量 10 000 m³／s)　　（单位：h）

水库运用方式		≥ 315 m	≥ 320 m	≥ 326 m	≥ 330 m	≥ 332 m	三门峡开始 控制水位(m)	小浪底最高水位(m)	
三门峡	小浪底							不保滩	保滩
敞　泄		488	432	324	208	132	敞泄滞洪	272.97	*
先敞后控		700	668	620	596	480	334.46	254.20	262.73
适时调控	不保滩，259 m	700	668	552	340	132	330.73	263.17	
	保滩，259 m	700	668	620	564	388	333.55		264.75
	不保滩，269 m	644	572	324	208	132	325.98	269.18	
	保滩，269 m	700	656	452	208	132	329.71		272.59

注：*表示水位已超过 275 m。

表 3-26　万年一遇洪水三门峡水库不同运用方案库水位大于某级水位的历时统计

(花园口最大流量 12 000 m³／s)　　　　（单位：h）

水库运用方式		≥315 m	≥320 m	≥326 m	≥330 m	≥332 m	三门峡开始控制水位(m)	小浪底最高水位(m)	
三门峡	小浪底							不保滩	保滩
敞　泄		488	432	324	208	132	敞泄滞洪	263.97	269.46
先敞后控		680	624	504	392	312	334.69	252.73	261.45
适时调控	不保滩，259 m	546	480	348	208	132	329.10	260.53	
	保滩，259 m	620	556	412	316	140	332.15		262.61
	不保滩，269 m	488	432	324	208	132	敞泄滞洪	263.97	
	保滩，269 m	492	436	324	208	132	321.27		269.00

2.3.4.3　方案比较

调洪计算成果表明，三门峡水库先敞后控运用方案，各级高水位持续时间均较其他两种方案长。

多泥沙河流上水库运用的实践表明：水库蓄水持续时间越长，水库淤积越严重；蓄水位越高，库区淤积泥沙的部位越偏上。由于三门峡水库的特殊地理位置和地形条件，在水库淤积后，不容易消除淤积影响；同时，会对潼关以上的渭河下游和小北干流的淤积带来一系列问题。在小浪底水库运用初期，防洪库容大，三门峡水库与小浪底水库联合调度时应充分利用小浪底水库运用初期防洪库容大的有利条件，多承担防洪任务；但是，对于“上大洪水”三门峡水库还必须承担一部分防洪任务。在两库联合调度中，对三门峡水库所承担的这部分防洪任务，应力求最高库水位较低，且高水位持续时间尽量缩短，以减少库区尤其潼关以上库区的淤积。从计算方案分析比较看出，三门峡水库敞泄运用方式，三门峡水库高水位持续时间较短，但加大了小浪底水库的蓄洪量，在万年一遇洪水时，甚至使小浪底库水位超过 275 m。先敞后控运用方式，三门峡水库高水位运用时间较其他方案明显偏长，对水库淤积产生不利影响。适时调控运用方式，三门峡水库高水位的持续时间比先敞后控运用方式高水位持续时间减少很多，比敞泄运用方式高水位持续时间增加不多。因此，三门峡水库的适时调控方案是两库联合调度中的最优方案。

需要指出的是，关于保滩与不保滩的情况是比较复杂的。几十年来上中游修建了水库，进行了水土保持，降雨情况也不尽相同，因此黄河的水沙条件处在变化之中，但是黄河下游河道淤积抬高的局面并没有改变。20 世纪 70 年代末至 90 年代初，黄河下游经历了淤积—冲刷—淤积的演变过程，同流量(3000 m³／s)水位沿程变化也不一样，石头庄以上河道有所降低(0.1 ~ 0.2 m)，而高村以下有所上升(0.2 ~ 0.5 m)，这就说明河道主槽发生了变化，随之排洪能力也有增减。由于黄河下游河道淤积，使河道的滩槽高差减小。而且由于黄河下游各段河道特性的不同，使得滩地分布特性也不同。如孟津至高村的游荡性河段中，有些河段汊流串沟多，无明显主槽，而另一些河段既有明显主槽，又有嫩滩、二滩和老滩。同时由于受河道淤积和黄河下游断流的影响，黄河下游河道主槽严重萎缩。从黄河下游的一些河段来看，由于生产堤的存在，使滩槽水流泥沙交换受到限制，在生产堤内外形成 1 ~ 2 m 的临背悬差，使得滩唇高仰，堤根低洼，滩面横比降大，致使局部河段出现“二级悬河”，再加上部分滩地大，地形条件复杂，泥沙淤积不均匀，在实际运用中是不好保滩的，同时也难以保住。黄河下游河道排洪的实践表明，下游河床冲淤演变的一个重要规律就是洪水漫滩后，滩槽水流泥沙交换十分强烈，大量泥沙通过交换，由主槽进入滩地，使滩地大量淤积，主槽强烈冲刷。这种“淤滩刷槽”情况使得涨水过程中主槽迅速扩大，排洪能力增加。黄河下游河道平面形态上宽下窄，滩地主要集中在陶城铺以上宽河道，洪水漫滩后大量泥沙在宽河段滩地落淤，降低了进入窄河段水流的含沙量，有利于窄河段的冲刷。在水库运用中，由于黄河下游河道的演变规律和复杂的形态，在实际操作中保滩是很难实现的。允许洪水漫滩，对下游河道也是有利的。

2.4 “下大洪水”时三门峡水库防洪运用分析

在没有小浪底水库时，根据晋、陕、豫、鲁四省会议确定的原则，三门峡水库在“下大洪水”时的防洪运用方式为：当花园口流量大于 12 000 m^3 / s，并有后续降水，而且花园口站洪峰流量可能超过 22 000 m^3 / s 时，水库关闭部分泄水孔；当预报花园口洪峰流量大于 22 000 m^3 / s 时，关闭全部泄水孔，以减轻下游的防洪负担。

小浪底水库是黄河下游防洪工程体系的骨干工程，建成后与三门峡、陆浑、故县等水库联合运用，可以大大提高黄河下游防御洪水的标准。小浪底水库虽然仅控制了三门峡至花园口区间流域面积的 14%，但由于其库容大，据分析可以全部拦蓄三门峡至小浪底区间的洪水，而且能拦蓄三门峡以上的三门峡水库无力拦蓄的部分来水。

三门峡水库因其特殊的地理条件和社会经济环境，面临着小浪底水库没有或较少遇到的一系列问题，如潼关高程问题，潼关以上库区淤积所带来的问题，运用后水库淤积延伸问题，渭河下游淤积及由此引起的渭河下游防洪、淹没、浸没问题，地下水位抬高问题等，还有其他社会经济、环境生态问题等。为了减少三门峡水库拦蓄洪水的运用几率，减轻三门峡库区特别是潼关以上库区淹没和淤积影响，在防御“下大洪水”运用时，首先由小浪底控制干流来水，尤其是在小浪底水库建成运用初期。根据实际发生的 1954 年 8 月、1958 年 7 月和 1982 年 7 月底至 8 月初的“下大洪水”资料分析，花园口百年一遇洪水，小浪底水库可单独承担，大于百年一遇洪水，三门峡水库可配合小浪底、东平湖等防洪工程运用。其蓄水位回水最好不要超过坫垮(黄淤 36 断面)，使潼关不直接受水库回水的影响。由于“下大洪水”的产汇流区(三门峡至花园口区间)紧靠黄河下游，洪水流程短、上涨迅速，含沙量小，而三门峡水库对洪水的控制作用小，建议主要是配合小浪底水库运用，削减花园口洪水的超万洪量；在洪峰过后，为避免无效蓄水，减少水库高水位持续时间和潼关淤积，尽量早排泄水库蓄水。以上是从实测资料和水库冲淤变化特点提出的防御“下大洪水”时三门峡水库的运用意见，两库防洪运用的具体实施方案，有待通过调洪计算分析研究确定。

3 三门峡水库运用方案计算

3.1 计算方案及设计原则

小浪底水库运用后，三门峡水库承担的防洪和防凌任务有所减轻，春灌和调沙减淤等任务将主要或全部由小浪底水库承担。因此，三门峡水库目前的运用方式应有所改变。

潼关高程是三门峡水库运用中一个重要问题。影响潼关高程升降的因素比较复杂，除水沙条件外，水库运用水位也是影响因素之一。因此，在确定三门峡水库不同运用方案时，需要考虑三门峡水库不同运用水位对库区冲淤分布影响及其影响范围。由第二章可知，三门峡水库非汛期不同运用水位的回水影响范围为：北村临界水位在 308 m 左右，大禹渡临界水位 314～315 m，坫垮临界水位 320 m 左右。另外，根据钱意颖等点绘的 1974 年以来各年坫垮非汛期水位差与库水位超过 320 m 天数关系(如图 3-1 所示)可知，当非汛期水库最高运用水位小于 320 m 时，水库运用对潼坫河段冲淤不产生明显影响。

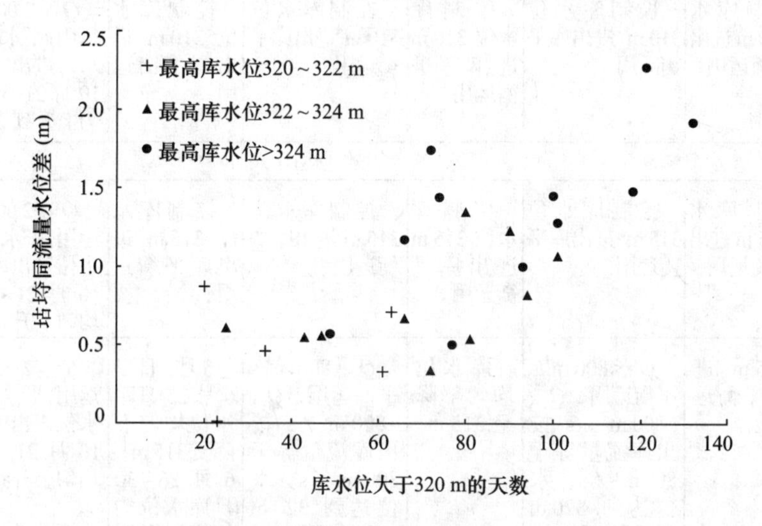

图 3-1 坫垮非汛期水位差与库水位超过 320 m 天数之间关系

为研究对库区冲淤和潼关高程有利并同时适当发挥三门峡水库综合利用效益的运用方式，提出以下 4 个典型运用方案。

方案 1：根据“四省会议”精神，非汛期控制水位 310 m；汛期当入库流量大于 2 000 m^3／s 时，水库敞泄排沙，当入库流量小于 2 000 m^3／s 时，水库按控制水位 305 m 运用。

方案 2：全年敞泄运用。

方案 3：非汛期控制水位 315 m；汛期当入库流量大于 2 000 m^3／s 时，水库敞泄排沙，当入库流量小于 2 000 m^3／s 时，水库按控制水位 305 m 运用。

方案 4：非汛期最高控制水位 320 m；汛期当入库流量大于 2 000 m^3／s 时，水库敞泄排沙，当入库流量小于 2 000 m^3／s 时，水库按控制水位 305 m 运用。

考虑桃汛具有较强的冲刷能力，方案 4 在桃汛期前将库水位降至 315 m，桃汛期过后逐步蓄水到 320 m。同时，由于方案 4 非汛期运用水位均大于 315 m，三门峡水库可以投入 4 台以上机组进行发电，每台机组所需流量为 200 m³/s 左右。为了尽量减少水库高水位运用天数，非汛期取 800 m³/s 出库流量进行水量平衡计算。

汛期水库运用指标主要有两个：一是平水期发电水位；二是洪水期排沙流量和排沙水位。前者根据 20 世纪 90 年代中期以后水库运用经验和“四省会议”运用原则，水库运用水位为 305 m。20 世纪 90 年代以后入库水量大幅度降低，汛期洪水量和洪水次数急剧减少，以及小流量排沙效果太低，取大于或等于 2 000 m³/s 流量进行排沙。考虑到进入下游河道的水沙条件将直接受小浪底水库的再调节，排沙水位可按实际泄流曲线进行确定。

具体调度运用方案见表 3-27。

表 3-27　三门峡水库不同运用方案特征表

方案编号	11月1日~12月31日	1月1日~2月20日	2月21~3月10日	3月11日~4月30日	5月1日~6月30日	7月1日~10月31日
方案 1	控制库水位310 m进出库平衡运用	控制库水位310 m 进出库平衡运用	控制库水位 310 m 进出库平衡运用	控制库水位310 m 进出库平衡运用	控制库水位 310 m 进出库平衡运用	$Q_入$>2 000 m³/s 敞泄运用,平水期控制 305 m 水位进出库平衡运用,10 月 21~31 日库水位均匀上升到 310 m
方案 2	全年敞泄运用					
方案 3	控制库水位315 m进出库平衡运用	控制库水位315 m 进出库平衡运用	控制库水位 315 m 进出库平衡运用	控制库水位315 m 进出库平衡运用	控制库水位 315 m 进出库平衡运用	$Q_入$>2 000 m³/s 敞泄运用,平水期控制 305 m 水位进出库平衡运用,10 月 21~31 日库水位均匀上升到 315 m
方案 4	315 m 进出库平衡运用	$Q_入$<800 m³/s 平衡运用，$Q_入$>800 m³/s 按出库流量等于 800 m³/s，水位达到 320 m 后平衡运用	库水位均匀下降至 315 m	$Q_入$<800 m³/s 平衡运用，$Q_入$>800 m³/s 按出库流量等于 800 m³/s，水位达到 320 m 后平衡运用	5月1日~6月25日库水位均匀下降至315 m，6 月 26~30 日库水位均匀下降至 305 m	$Q_入$>2 000 m³/s 敞泄运用,平水期控制 305 m 水位进出库平衡运用,10 月 21~31 日库水位均匀上升到 315 m

3.2　水沙系列及初始边界条件

为了反映不同水沙系列对三门峡水库调度运用方案的影响，方案计算选用了两个水沙系列，一是 1974 年 11 月 1 日~1985 年 10 月 31 日共 11 年实测水沙系列；二是 1986 年 11 月 1 日~1997 年 10 月 31 日共 11 年实测水沙系列。

计算河段为潼关至坝前(史家滩)，采用 1998 年 10 月库区各个实测大断面数据作为库区计算初始边界条件；入库水沙条件分别采用上述两个不同水沙系列的潼关站实测日平均流量、含沙量过程，以及单位水样悬移质颗粒级配；数学模型最下游边界控制条件采用史家滩水位站作为下游控制站；三门峡水库泄流能力见表 3-1；数学模型计算时间步长汛期、非汛期均采用 1 天，每 1 个方案分别进行 2 个水沙系列的计算。

3.3 泥沙数学模型及其验证

本数学模型为一维恒定流水动力学泥沙数学模型。在水流、泥沙运动力学和河床演变基本规律的基础上，通过水流连续方程、水流运动方程、泥沙连续方程、河床变形方程和补充方程进行联合求解，并且考虑了水库溯源冲刷、溯源淤积和异重流输沙计算及断面形态调整。

利用1974～1998年实测水沙系列及库区冲淤资料对数学模型进行了验证计算。进口条件包括潼关站实测逐日流量、输沙率及悬移质颗粒级配，出口条件为史家滩站实测逐日水位和三门峡站实测逐日流量，初始地形采用1974年6月实测大断面资料，共33个断面。

图3-2为潼关至大坝1974～1998年汛期、非汛期冲淤量实测值与计算值的比较，从图可以看出，模型比较好地模拟了三门峡水库潼关以下河段汛期、非汛期冲淤特性，实测值与计算值均分布在45°线两边，相对误差比较小。图3-3为潼关至大坝1974～1998年累积冲淤量过程实测与计算比较，从图中可以看出计算过程与实测过程符合较好。

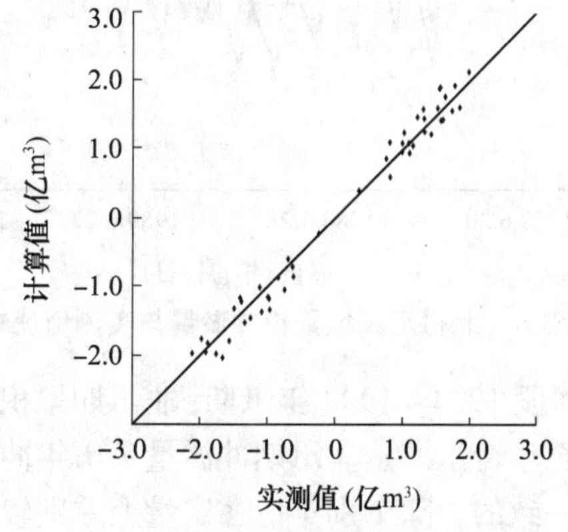

图3-2 潼关至大坝冲淤量实测值与计算值比较

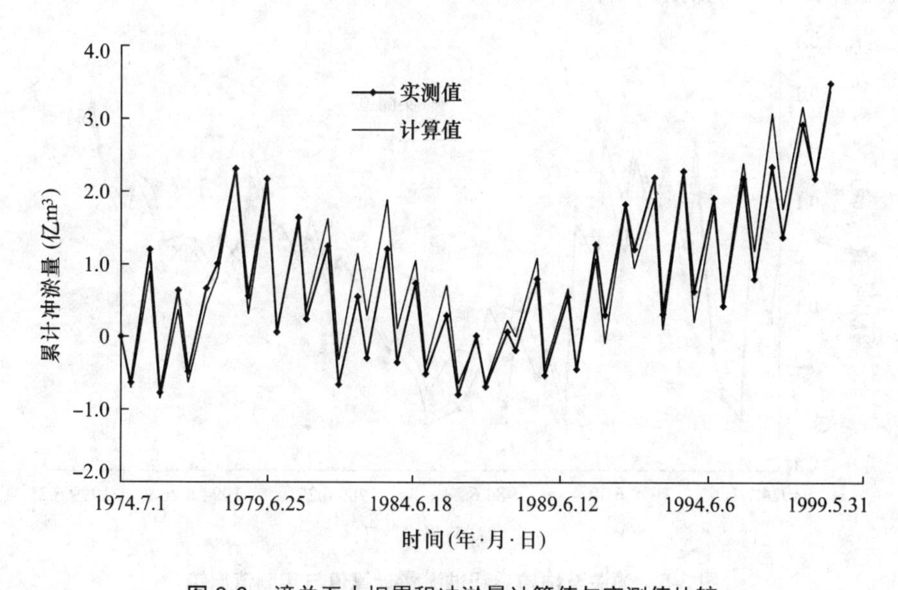

图3-3 潼关至大坝累积冲淤量计算值与实测值比较

图 3-4 为北村至大坝 1974 ~ 1998 年累积冲淤量过程实测与计算比较，从图中可以看出计算过程与实测过程符合较好。由于三门峡水库汛期北村以下河段冲刷主要是靠洪水期冲刷，特别是 1989 年开展汛期发电试验以来，采用“洪水排沙、平水发电”，北村以下河段冲刷主要是利用在洪水期间降低坝前水位，引起水库的溯源冲刷。因此，北村以下河段汛期冲刷量实测与计算一致，说明本模型采用的溯源冲刷计算方法是比较合理的，能够比较好地模拟水库的溯源冲刷。

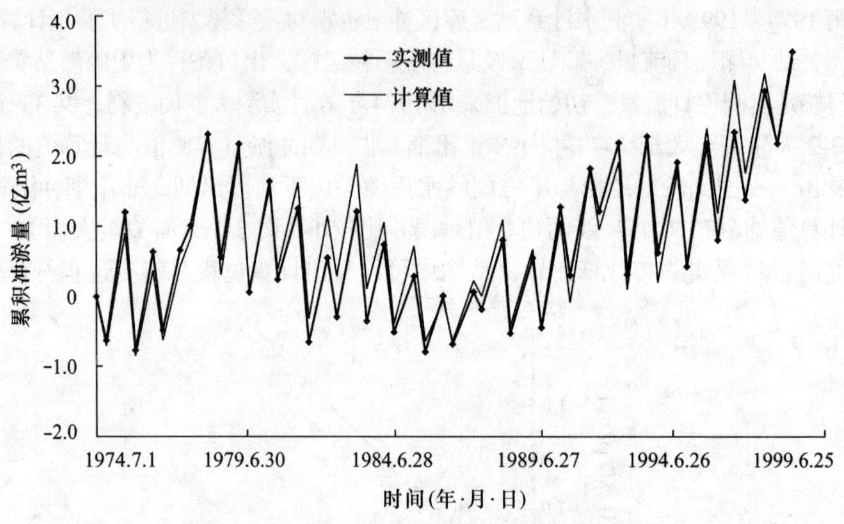

图 3-4 北村至大坝累积冲淤量与实测值比较

图 3-5 为潼关至坫垮河段 1974 ~ 1998 年汛期、非汛期累积冲淤量过程实测与计算比较。由图可以看出，潼关至坫垮汛期、非汛期冲淤量及历年冲淤量累积过程计算与实测比较，在定性上与实测是一致的，除个别年份在定量上差别较大外，大部分年份验算结果与实测结果也是一致的。

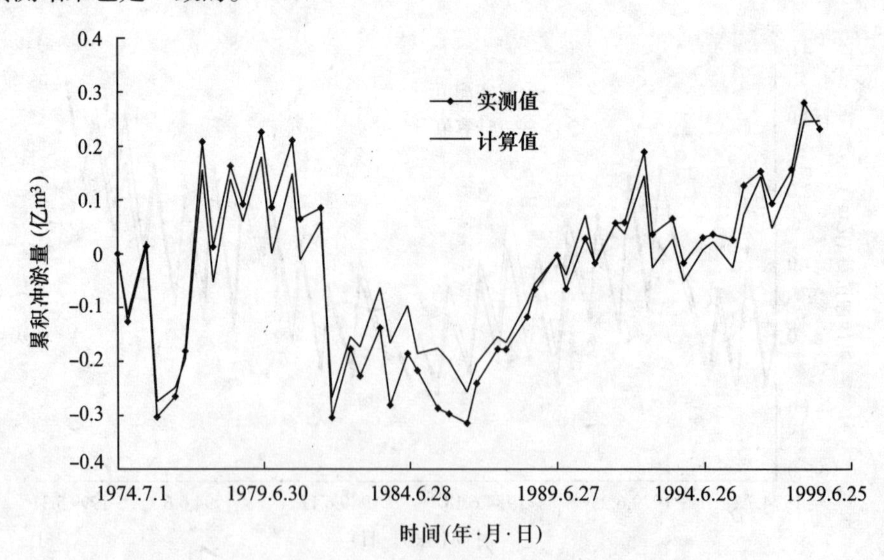

图 3-5 潼关至坫垮累积冲淤量计算值与实测值比较

为了预估每年汛初、汛末的潼关高程(潼关站流量为 1 000 m^3 / s时对应的水位)，当数学模型计算到每年 6 月 30 日或 10 月 31 日时，假定入口流量为 1 000 m^3 / s，出口水位为相应的正常水深，利用水力学方法计算沿程水面线，然后计算出相应的潼关高程。图 3-6 为 1974 ~ 1998 年潼关高程历年实测变化过程与计算过程的对比。从图可以看出，潼关高程历年变化的计算值，除个别年份误差较大以外，其余时间误差较小，符合比较一致，与潼关高程变幅相比，相对误差也很小。这说明本模型不仅能够比较好地模拟潼关至坫埼河段冲淤变化规律，而且也能够反映潼关高程在汛期和非汛期的年内变化过程及长系列汛期、非汛期的升降变化过程。

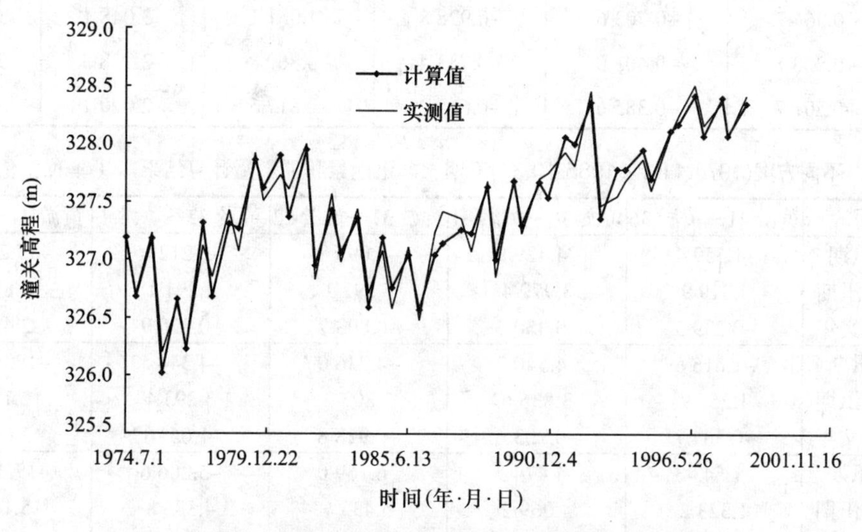

图 3-6 潼关高程历年实测与计算过程比较

由以上可见，本模型比较好地反映了三门峡水库潼关以下河段的冲淤特性，各个河段计算结果与实测资料符合较好，计算的汛期、非汛期潼关高程升降值与实际相差很小，计算的潼关高程变化过程与实际基本一致，计算潼关高程的精度已能满足水库不同运用方案的比较；本模型也能够比较好地反映三门峡水库在溯源冲刷期间的冲刷量和冲刷部位。因此，本模型可以用于小浪底水库运用初期三门峡水库调度运用方案的计算和比较。

3.4 计算结果及分析

表 3-28、表 3-29 和图 3-7、图 3-8 为第一水沙系列的计算结果。由成果可知，在丰水系列下，各方案潼关以下库区普遍冲刷，潼关高程均发生冲刷下降。1998 年 10 月底潼关高程为 328.28 m，经过 11 年运行，潼关高程在各方案下冲刷下降 2 m 左右，其中方案 2 下降 2.24 m，方案 1、3、4 下降 1.92 ~ 1.94 m。敞泄方案潼关高程的下降值较其他方案大，但差别不显著，最大只有 0.32 m，然而此方案水库除自然滞洪以外，防凌、发电等效益都将没有；方案 1、3、4 潼关高程的下降值的差别很小，依次只有 0.03 m。

表 3-30、表 3-31 和图 3-9、图 3-10 为第二水沙系列的计算结果。由成果可知，在枯水系列下，除全年敞泄运用方案 2 以外，其他各方案潼关至坫埼河段都处于淤积状态。经过 11 年运行，在方案 2 中潼关高程为 327.75 m，较 1998 年汛末下降 0.53 m，其他方

案潼关高程均在 328.3 m 左右。相对而言，方案 1 较低，方案 4 较高，但差别也只有 0.07 m。方案 2 与方案 4 潼关高程相差 0.59 m。计算结果表明，在枯水系列下，水库的运用方式在各计算方案中对水库的冲淤和潼关高程的升降有一定的影响，但影响也相当有限。

表 3-28　不同方案(1974.11.1 ~ 1985.10.31)累积冲淤量计算结果　（单位：亿 m^3）

方案	黄淤 41—黄淤 36	黄淤 36—黄淤 31	黄淤 31—黄淤 22	黄淤 22—黄淤 1	黄淤 41—黄淤 1	潼关高程(m)
1	–0.239 5	–0.450 5	–0.803 7	–0.920 9	–2.414 6	326.30
2	–0.364 7	–0.703 6	–0.928 8	–1.051 1	–3.048 1	326.04
3	–0.220 1	–0.405 0	–0.733 4	–0.869 8	–2.228 3	326.33
4	–0.201 7	–0.385 6	–0.615 2	–0.817 5	–2.020 1	326.36

表 3-29　不同方案(1974.11.1 ~ 1985.10.31)汛期、非汛期累积冲淤量计算结果　（单位：亿 m^3）

方案	时段	黄淤 41—黄淤 36	黄淤 36—黄淤 31	黄淤 31—黄淤 22	黄淤 22—黄淤 1	黄淤 41—黄淤 1
1	汛期	–1.559 4	–4.429 9	–6.095 8	–5.212 0	–17.297 1
	非汛期	1.319 9	3.979 4	5.292 1	4.291 1	14.882 5
	水文年	–0.239 5	–0.450 5	–0.803 7	–0.920 9	–2.414 6
2	汛期	–1.616 6	–4.540 2	–4.736 0	–4.344 5	–15.237 3
	非汛期	1.251 9	3.836 6	3.807 2	3.293 4	12.189 2
	水文年	–0.364 7	–0.703 6	–0.928 8	–1.051 1	–3.048 1
3	汛期	–1.543 3	–4.474 2	–6.169 0	–5.206 6	–17.393 0
	非汛期	1.323 2	4.069 2	5.435 6	4.336 8	15.164 8
	水文年	–0.220 1	–0.405 0	–0.733 4	–0.869 8	–2.228 3
4	汛期	–1.584 2	–4.480 9	–6.183 8	–5.185 1	–17.434 0
	非汛期	1.382 4	4.095 3	5.568 6	4.367 6	15.413 9
	水文年	–0.201 7	–0.385 6	–0.615 2	–0.817 5	–2.020 1

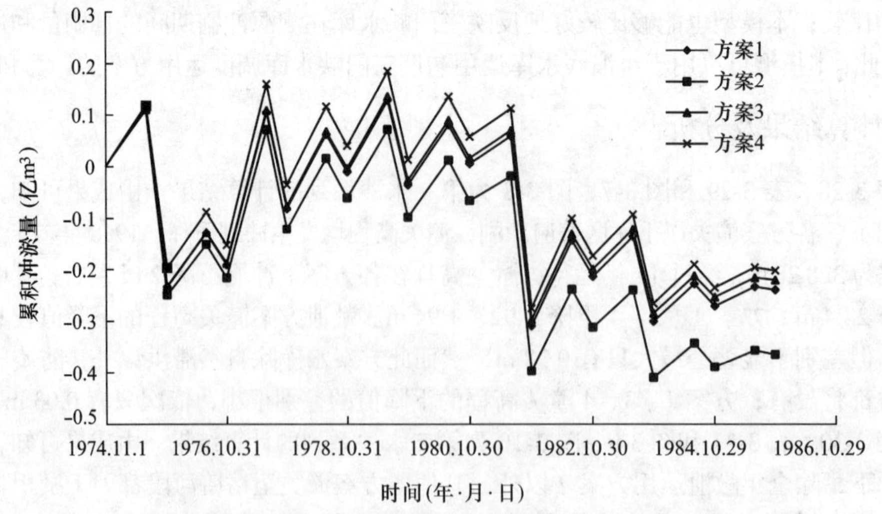

图 3-7　潼关至坫垮不同方案计算累积冲淤量过程比较(1974～1985 年系列)

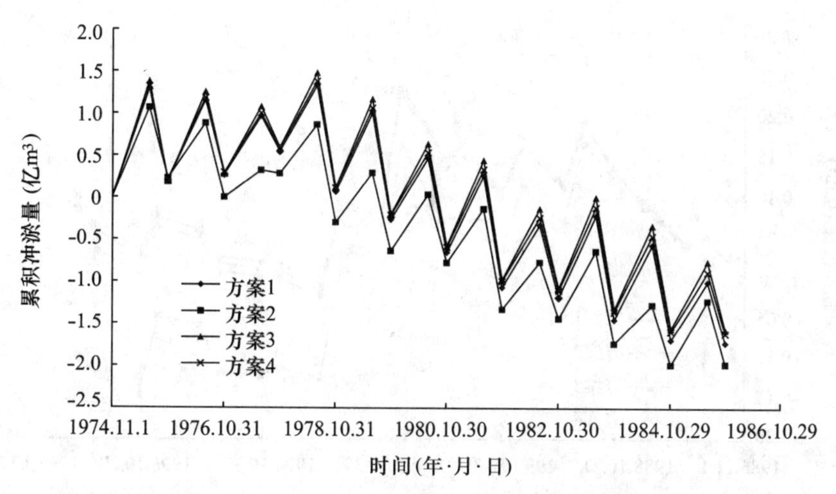

图 3-8　大禹渡至坝前各方案计算累积冲淤量比较(1974～1985 年系列)

表 3-30　不同方案(1986.11.1 ~ 1997.10.31)累积冲淤量计算结果　（单位：亿 m³）

方案	黄淤 41—黄淤 36	黄淤 36—黄淤 31	黄淤 31—黄淤 22	黄淤 22—黄淤 1	黄淤 41—黄淤 1	潼关高程(m)
1	0.075 4	0.220 5	–0.482 4	–0.677 8	–0.864 3	328.27
2	–0.098 2	–0.086 2	–0.527 0	–0.734 5	–1.446 1	327.75
3	0.088 4	0.233 7	–0.453 0	–0.538 7	–0.669 5	328.31
4	0.099 2	0.253 4	–0.412 3	–0.457 9	–0.517 6	328.34

表 3-31　不同方案(1986.11.1 ~ 1997.10.31)汛期、非汛期累积冲淤量计算结果　（单位：亿 m³）

方案	时段	黄淤 41—黄淤 36	黄淤 36—黄淤 31	黄淤 31—黄淤 22	黄淤 22—黄淤 1	黄淤 41—黄淤 1
1	汛期	–0.369 0	–2.354 3	–5.381 8	–6.247 9	–14.352 9
	非汛期	0.444 3	2.574 8	4.899 3	5.570 2	13.488 6
	水文年	0.075 4	0.220 5	–0.482 4	–0.677 8	–0.864 3
2	汛期	–0.500 5	–2.404 5	–4.401 1	–2.959 5	–10.265 7
	非汛期	0.402 3	2.318 3	3.874 1	2.225 0	8.819 6
	水文年	–0.098 2	–0.086 2	–0.527 0	–0.734 5	–1.446 1
3	汛期	–0.367 9	–2.350 6	–5.373 2	–6.235 6	–14.327 3
	非汛期	0.456 4	2.584 3	4.920 2	5.696 9	13.657 8
	水文年	0.088 4	0.233 7	–0.453 0	–0.538 7	–0.669 5
4	汛期	–0.367 7	–2.337 1	–5.345 2	–6.186 2	–14.236 2
	非汛期	0.466 9	2.590 5	4.932 8	5.728 3	13.718 6
	水文年	0.099 2	0.253 4	–0.412 3	–0.457 9	–0.517 6

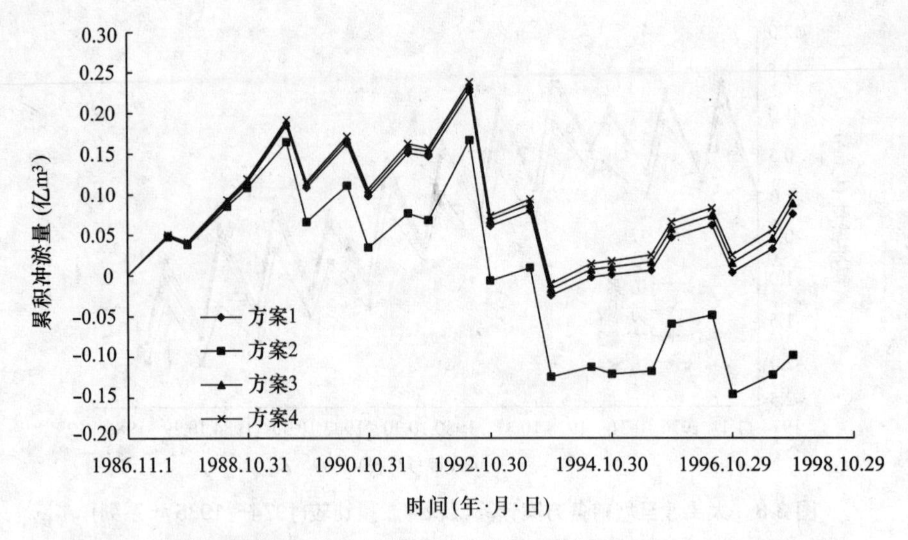

图 3-9　潼关至坫垮不同方案计算累积冲淤量过程比较(1986～1997 年系列)

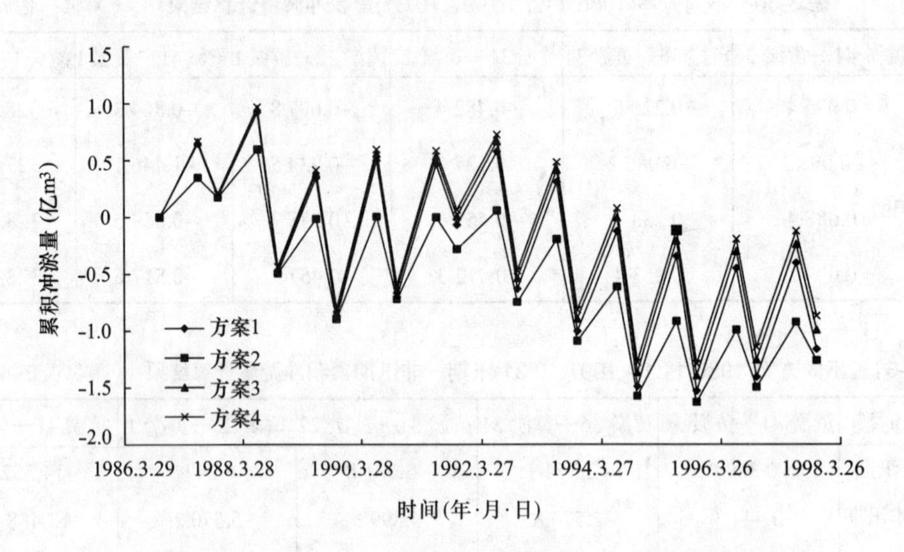

图 3-10　大禹渡至坝前各方案计算累积冲淤量比较(1986～1997 年系列)

通过上述两个不同水沙系列的计算可知，如果三门峡水库采用敞泄运用(方案 2)，库区和潼关高程都将发生冲刷下降，而且在丰水系列中冲刷下降多，在枯水系列冲刷下降少。这说明潼关高程的升降主要取决于该时期的水沙条件，尤其取决于汛期水量或者说洪水期水量的大小，这与水库多年运用的实际结果相符合。同时，由计算结果还可以看出，方案 2 与其他方案相比较，就水库沿程冲淤变化来说，坝前段冲淤变化较大，向上逐渐减弱，两种水沙系列计算成果潼关高程仅差 0.3 ~ 0.6 m。非汛期运用水位，方案 3 比方案 1 高，方案 4 比方案 3 高，非汛期淤积主要部位有所不同，但方案 1、方案 3、方案 4 主要淤积部位均在北村与大禹渡之间。汛期采用平水发电，遇到洪水时，入库含沙量较高，此时，水库降低水位，停止发电，以提高水库排沙能力。各方案计算结果表明，在大禹渡以下河段，汛期沿程冲刷量与非汛期沿程淤积量有关，非汛期淤积越多，汛期冲刷量就越大；反之，非汛期淤积越少，汛期冲刷量就越小，也就是说，大禹渡以下河段是三门峡水库泥沙调节库容。从汛期和非汛期运用方式的综合计算结果看，这三种方案计算结果主要差别在大禹渡以下河段，各方案计算库区冲淤分布的差别自下向上的影响逐渐减少，对潼关至坩埚河段影响更小。

3.5 不同方案发电运用效果分析

3.5.1 三门峡水电站发电概况

三门峡水利枢纽工程历经原建、增建和改建过程，水库运用方式发生了很大变化，在解决水库淤积问题的同时，为发挥枢纽的发电效益，三门峡水电站也经历了原建、改建、扩装和改造 4 个阶段。1997 年初电站装机达 7 台，装机容量达 40 万 kW，2000 年底 1 号机增容改造后装机容量达 41 万 kW。1 ~ 5 号机组进水口底坎高程 287 m，6 ~ 7 号机组进水口底坎高程 300 m，水轮机额定参数列于表 3-32。

表 3-32　三门峡水电厂水轮机额定参数

项目		1 号机	2 ~ 5 号机	6 ~ 7 号机
水头(m)	额定	31.5	30.0	36.0
	最大	41.7	52.0	47.7
单机容量(万 kW)		6.19	5.16	7.5
下泄流量(m^3 / s)		218.89	197.5	230.8
额定发电水位(m)		310.5	309.0	315.0
最大效率(%)		91.5	91.5	93.9

1973 年 12 月，第一台低水头径流发电机组投运，标志着枢纽开始发挥正常发电效益。按照“蓄清排浑”运用方式，汛期发电的机组运行环境为低水头(25 m)、高含沙量(30 kg / m^3)水流，非汛期为高水头(平均 35 m)、清水。根据汛期发电情况，将 1973 年以来的发电运行分为全年发电、汛期基本不发电和汛期浑水发电试验 3 个阶段。

1973 ~ 1980 年电站为全年发电阶段。非汛期机组运行都是在设计水头以上清水发电，运行工况较好。汛期控制 305 m 径流发电，平均入库含沙量 51.6 kg / m^3，最高含沙量 911 kg / m^3，机组全汛期运行，水头低、含沙量高，工况恶劣。高含沙水流对水轮机过流部件的气蚀、磨损破坏十分严重。如最早投运的 4 号机，运行 30 465 h 后，在 1979 年大修时，气蚀破坏异常严重，大修补焊所用焊条达 9.3 t，耗资 74.78 万元，大修工期长达 222 天。

这一时期发电生产中的三大难题是：汛期发电运行水轮机气蚀磨损、转轮体“λ”密封漏油、可控硅励磁装置运行不稳定。因此，发电运行处于事故多发、运行不稳定阶段。机组发电参数统计见表 3-33。

由于全汛期发电对机组磨蚀破坏严重，造成机组大修周期短，检修历时长、投资大，不仅影响汛期发电，还影响非汛期机组运行。在总结前期运行经验的基础上改为非汛期发电、汛期调相运行方式。

表 3-33　1973～1980 年机组发电参数统计

年份	年发电量(万 kW·h)	年运行小时数(h)	汛期发电量(万 kW·h)	汛期入库含沙量(kg/m³)	备注
1973	272	125			12 月 26 日 4 号机并网发电
1974	32 243	7 644	8 541	45.28	1 台机运行
1975	34 855	8 178	6 759	34.08	12 月 26 日 3 号机并网发电
1976	52 723	11 014	6 739	26.46	11 月 14 日 2 号机并网发电
1977	77 273	17 459	15 835	124.00	10 月 30 日 1 号机并网发电
1978	76 747	18 958	16 875	55.48	12 月 26 日 5 号机并网发电
1979	83 792	21 765	15 425	44.16	5 台机运行
1980	87 442	23 761	6 463	34.78	5 台机运行

1980～1988 年，经过试验汛期采用落门排水的无水调相方式。由于水轮机水下过流部件脱离水流，不受汛期高含沙水流的磨蚀，也不影响水库的正常调度运用，运行工况得到改善。同时，在汛期停止发电期间可以大量安排机组主辅设备检修，保证了非汛期清水发电期间机组的投入和经济安全运行水平。但占汛期水量 60%的平水少沙期的水量不能得到有效利用，面对黄河来水量日趋减少的严峻局面，寻求汛期水资源利用的有效途径显得尤为重要。

1989～1993 年进行了 5 年的汛期浑水发电试验，这个时期主要是研究水轮机新的抗磨蚀材料和施工工艺。

1994～1999 年主要是进行水库汛期发电运用方式的试验研究，探索出“洪水排沙、平水发电”的运行方式，在过机泥沙观测、减少过机泥沙含量方面取得了重大进展。至 1999 年，汛期(每年 7 月 1 日～10 月 10 日)累计发电量达 10 亿 kW·h，汛期水量利用率大大提高。

3.5.2　汛期发电试验研究分析

在水沙不均衡、汛期沙量集中、含沙量居高的黄河上进行汛期浑水发电试验，首先要处理好防洪、排沙与发电的关系；其次是通过优化调度减小过机含沙量，尤其是减少过机泥沙中粗颗粒泥沙的含量，减轻泥沙对机组的气蚀、磨损破坏；再次是试验出性能较好的抗磨蚀材料和先进的施工工艺，增强叶片的抗气蚀、磨损性能，以适应浑水发电的需要。

以下着重分析汛期发电调度运用方式、发电控制指标和通过调度减少泥沙磨损等成果对增加汛期发电效益，提高水能利用率的作用。

3.5.2.1　汛期发电主要影响因素

汛期水库的主要任务是确保防洪安全，正确处理好排沙和发电的关系，所以发电运用必须服从防洪调度，不影响库区冲淤变化，过机含沙量要控制在一定范围内。按照水电站发电量计算原理，汛期发电量与入库流量、水头、机组效率及发电历时有关。其中机组效率与水头、过机含沙量、运行工况、摆度等有关，发电历时与汛期洪水历时、库区冲淤发展情况有关。

因此，汛期发电运行历时应在洪水排沙期以外，坝前形成一定的冲刷漏斗下进行；发电控制水位应以回水接近坝前，且不影响上游河段的冲刷发展为原则。在满足以上条件后，可通过优化调度方式减少过机含沙量，通过厂内经济运行改善运行工况，实现防洪、排沙与发电的综合利用目标。

3.5.2.2 防洪与排沙

黄河汛期泥沙70%集中在洪水期，而且洪水的输沙能力强，利用洪水排沙，能够短时间内取得较好的排沙效果，有利于库区冲淤平衡；平水期含沙量相对较小，排沙效果不显著，此时有坝前调沙库容供其调节泥沙，可减少出库和过机水流含沙量，具备发电运行条件，因此在平水期应控制水位发电运行，即“洪水排沙、平水发电”运行方式。

从水沙条件看，1986年龙羊峡水库投入运用以来，汛期入库的洪水次数和洪水量较前期大幅度减少；平水期明显增长，沙量虽也有较大削减，但更集中于洪水期。

根据枢纽泄流规模和启闭设备状况，有足够的泄流能力和充足的时间，使洪水入库前及时由发电运行转变为泄洪排沙运用，并可将洪水起调水位降至300 m以下，这种调度方式可增加洪水峰前比降，增加洪水冲刷力度。

3.5.2.3 排沙与发电

汛期不仅要排出入库泥沙，还需排出非汛期蓄水时淤积的泥沙。因此，在洪水排沙后，根据水沙变化情况和近坝库段冲刷漏斗的形成与稳定情况，来决定控制水位进行发电运行的时机。利用北村站1 000 m^3/s流量之水位作为控制排沙和发电的判别指标，即在汛初第一场洪水冲刷后，当北村1 000 m^3/s水位稳定在309 m左右时开始控制运用水位发电；在发电期间当北村1 000 m^3/s水位达到310 m时，水库降低水位强迫排沙，可有效控制水库淤积向上游发展，较好地解决了排沙与发电关系。

1994年以来运用北村1 000 m^3/s稳定水位作为发电与排沙的判断指标，对发电运用期间库区冲淤发展变化情况进行了测量，见表3-34。

表3-34 发电运行期间库区冲淤发展情况

年份	时段（月·日）	黄淤12以下	黄淤12—黄淤22	黄淤22—黄淤31	黄淤31—黄淤36	黄淤36—黄淤41	全段
1994	08.26~10.02	0.083	0.022	(－0.041)			
1995	08.19~10.22	0.295	0.160	－0.215			[0.240]
1996	08.25~11.05	0.240	0.223	0.083	－0.019	0.001	0.530
1997	08.27~10.08	0.108	0.107	－0.005	－0.083	0.010	0.137
1998	08.27~10.05	0.120	0.130	0.020	－0.040	0.001	0.230
1999	08.24~10.11	0.190	0.242	0.044	－0.047	－0.024	0.405

注：( )内数据为黄淤22—黄淤26断面冲淤量，[ ] 内数据为大坝至黄淤31断面冲淤量。

从上表可以看出，发电期间主要淤积部位在黄淤22断面(北村)以下近坝库段前期冲刷漏斗内，黄淤31断面(大禹渡)以上仍处于自然冲刷发展状态。

水库经过洪水排沙运用后，在库水位305 m高程下约有0.3亿~0.5亿m^3的库容，可供汛期发电时期调节泥沙，同时视来水情况尽量开启底孔、隧洞等进口高程低的泄流建筑物进行分流排沙，对减少过机含沙量作用显著。

3.5.2.4 机组运行工况

汛期发电水位，对机组出力大小、运行工况、过机含沙量及发电耗水率等都有显著影响。发电水位需要在确保完成汛期水库排沙任务、不增加潼关河段淤积的前提下，结合水轮机的特性研究确定。

3.5.2.5　305 m 水位机组工况

三门峡水电站投入汛期发电的机组是 1 ~ 5 号机，水轮机型为 ZZ010－LJ－600，根据水轮机运转特性曲线，计算机组在不同水头下的最大出力及相应耗水率如表 3-35 所示。

表 3-35　三门峡 1 ~ 5 号机组在不同水头下的出力及耗水率

水头(m)	25	27	29	30	35	40	45
水轮机最大效率(%)	88.5	89.0	89.0	88.7	91.0	90.2	89.1
水轮机最大出力(MW)	42.0	45.0	49.0	51.6	51.6	51.6	51.6
发电机最大出力(MW)	40.7	43.7	47.5	50.0	50.0	50.0	50.0
耗水率(m^3 / kW·h)	19.8	18.5	17.2	16.5	13.4	11.9	10.8

注：1.表中由水轮机出力计算发电机出力时，取发电机效率为 97%；

2.三门峡水电站尾水位为 278 m。

由表 3-35 可以看出，库水位 305 m 时，水头 26 m(水位差减去拦污栅水头损失 1 m)，因受功率限制线制约，正常情况下水轮机功率无法达到额定功率(51.6 MW)，最大出力仅为 43.5 MW，相应发电机最大出力为 42.2 MW，而且机组运行工况差，上导摆度经常超过设计值。控制库水位 305 m 以下运行时，机组的最大出力只有额定出力的 60% ~ 80%，存在的隐患更多。

3.5.2.6　过机含沙量与机组工况

水轮机运行工况可以间接地用上导(或水导)转动摆度来定量分析。在控制 305 m 水位运用时，坝前调节库容较小，过机含沙量高，摆度与库水位和过机含沙量的关系是：机组摆度随库水位的升高而减小，随过机含沙量的增加而增加。在机组运行中摆度超限的运行缺陷频频发生，机组被迫采取减小负荷等方式进行处理，影响机组正常运行及存在着安全隐患。

3.5.3　计算不同方案电量

本次分析研究三门峡水库调度运用方式以库区减淤为核心，兼顾综合效益的发挥，拟订 4 个运用方案。前面用一维恒定流泥沙数学模型对各方案不同水沙系列(1974 ~ 1985 年、1986 ~ 1997 年)库区泥沙冲淤规律进行了计算和分析。不同运用方案下发电量的计算是在数学模型各方案水量平衡调节计算基础上(调节后的水位过程和出库流量过程)，考虑满足发电机组运行边界条件，逐时段(步长为 1 天)进行发电量及弃水量计算。

3.5.3.1　计算原理

水电站的发电过程就是在一定的水头和下泄流量条件下，水流经过水轮机和发电机将机械能转化成电能的过程。当水流经过水轮机使水轮机转动时，需消耗一部分能量，实际功率与理论功率之比即为水轮机的效率；同时水轮机带动发电机转动发出电能也需要消耗一部分能量，其实际功率与发电机不消耗能量时的理想功率之比，为发电机效率。因此，水电站实发的功率通常是以出力表示，其计算公式为：

$$N = 9.81\eta_1\eta_2 QH \tag{3-1}$$

出力乘上时间即为电量，单位以千瓦时(kW · h)表示，即：

$$E = N\Delta t \tag{3-2}$$

式中　N——出力，单位时间内所做的功，kW；

η_1——发电机效率，%；

η_2——水轮机效率，%；

Q——流量，即每秒通过水轮机的水量，m^3/s；

H——水头，m；

E——发电量，kW·h；

Δt——时间，h。

由以上两式可知，出力和发电量的大小，主要取决于水电站的水头、过机流量以及发电历时。

在机组条件一定的情况下，单位发电量所用水量与水头成单一关系，即时段发电量可表示为：

$$E=W_t/P_t \tag{3-3}$$

式中 W_t——t 时段内通过水轮机的水量，m^3；

P_t——t 时段内平均耗水率，$m^3/kW\cdot h$。

因此，上式为简化的时段发电量的基本计算公式。

3.5.3.2　水库运用与发电

一般水电站，在已知来水条件下计算发电量的基本条件有水库调节性能、运用年度、调节时段等。

(1)水库调节性能可用库容系数 β 的大小来判断，$\beta=V/W$(V 为调节库容，W 为坝址多年平均水量)，$\beta=0.08\sim0.5$ 时为季(或年)调节，$\beta>0.5$ 为多年调节。三门峡水库根据“蓄清排浑”运用原则，水库的调节性能在运用年内各阶段是不同的，汛期(7～10 月)为没有调节能力的径流电站，库容系数 β 近似为 0；非汛期具有一定的调节能力，蓄供水期径流量变幅较大，库容系数 $\beta=0.037$(320 m 水位下调节库容与 1986 年以后非汛期平均来水量之比)，近似为季调节水电站；整个运用年度可视为不完全年调节。

(2)运用年是水库蓄满到放空的调节运用周期，三门峡水库从兴利角度看，水库蓄水期为 3～4 月份，供水期为每年 5～6 月份。水库库区冲淤特点为 11 月～次年 6 月淤积，7～10 月冲刷。因此，根据水库的运用特点和库区的冲淤特性确定运用年为 11 月～次年 10 月，调节计算时段为 1 天。

3.5.3.3　机组运行条件

三门峡水库特殊运用方式决定了发电量计算不能按照常规的方法来进行。根据水库多目标排列顺序，运用年内各个时段出流过程和库水位变化，不是通过发电计算来确定的，而是根据防洪、防凌、灌溉、供水、减淤等运用目标需求来确定。在来水较枯或来水分配极不均匀的情况下，首先要遭到破坏的是发电目标。因此，机组的运行条件和计算条件有必要予以说明。

(1)水位条件：当库水位介于 304～313 m 之间时，1～5 号机组可投入发电运行，最大容量 26 万 kW；当库水位高于 313 m 时，6～7 号机组均可投入发电运行，最大容量 41 万 kW；库水位低于 304 m 时，不考虑发电。

(2)检修及备用：1～5 号机汛期投入发电运行，汽蚀磨损严重，大修周期为 3.5 年，同时汛期 6～7 号机不能作为 1～5 号机的检修备用容量，因此，每年 5～7 月安排 1 台机组大修(6～7 号机可安排在汛期大修)，汛期 1～5 号机中，4 台机投入发电运行，1 台机作为备用。

(3)调峰损失：调峰电站的日负荷曲线峰谷差最大可达 8 倍，因此，即使以日为计算时段，在运用年内无论是汛期平水期还是非汛期都存在弃水调峰现象。因此，在某一水头下，即使出库流量小于机组在此水头下的过流能力时，水量利用率也不能达到 100%，计算时考虑调峰水量利用系数。

3.5.3.4　计算发电运用条件

(1)特性曲线：出库流量—尾水水位关系线、水头—耗水率关系资料，水轮机运转特性曲线。

(2)水位、流量过程：采用泥沙数学模型水量平衡调节计算结果。

(3)水沙判断条件：入库流量大于 2 000 m^3/s 或入库含沙量大于 50 kg/m^3 条件下，停止发电。

(4)调峰系数：按库水位对应调节能力大小与日平均调峰容量确定。汛期库水位在 304～308 m，调峰水量利用系数为 0.3～0.5。非汛期库水位 310～320 m，调峰水量利用系数为 0.6～0.85，过渡期直线内插计算。

3.5.3.5　特性曲线公式

在计算过程中，将特性曲线概化为二次抛物线方程。

(1)出库流量—尾水水位关系。当出库流量 $Q_{出库}$小于或等于 1 500 m^3/s 时，尾水位表达式为：

$$H_{尾}=-9.5\times10^{-7}Q^2+0.0037Q+276.848 \quad (m) \tag{3-4}$$

当出库流量 $Q_{出库}$大于 1 500 m^3/s 时，取关系图上直线经验关系。

(2)水头—耗水率关系。耗水率—水头关系计算表达式为：

$$P=0.0207\Delta H^2-1.83\Delta H+51.25 \quad (m^3/kW\cdot h) \tag{3-5}$$

3.5.3.6　计算结果分析

(1)计算结果。用上述计算原则及计算方法，对各个运用方案采用两个水沙系列分别进行各年度汛期、非汛期发电量计算，见表 3-36。

表 3-36　不同运用方案、不同水沙系列发电量、弃水量计算

方案	时段	1974～1985 年水沙系列		1986～1997 年水沙系列	
		发电量(亿 kW·h)	弃水量(亿 m^3)	发电量(亿 kW·h)	弃水量(亿 m^3)
方案 1	汛期	1.14	216.04	1.81	93.37
	非汛期	5.29	97.94	5.08	78.09
	水文年	6.43	313.98	6.89	171.46
方案 2	汛期	0	236.20	0	124.78
	非汛期	0	166.14	0	143.16
	水文年	0	402.35	0	267.94
方案 3	汛期	1.31	214.43	1.93	92.20
	非汛期	8.99	55.55	8.13	43.98
	水文年	10.30	269.98	10.06	136.18
方案 4	汛期	1.26	215.26	1.89	92.66
	非汛期	11.14	35.89	9.95	26.75
	水文年	12.40	251.15	11.84	119.41

从计算结果可知：除来水量外，影响汛期发电量的主要因素为排沙流量级别和平水期控制水位；影响非汛期发电量的主要因素是非汛期各阶段起调水位和最高运用水位。

(2)汛期发电分析。水库排沙机会多少与汛期来水的丰枯变化密切相关，流量大排沙机会多，发电运行历时减小，发电量相应减小；反之，发电运行历时增加。对于同一水沙系列，方案3、4只是调节库容不同，影响发电量为400万~500万kW·h，而方案1汛期向非汛期过渡期库水位是由305 m过渡到310 m(方案3、4过渡到315 m)，造成弃水量增加，发电量减少。

表3-37统计了两个水沙系列方案3平均发电量和水量利用情况。丰水系列(1974~1985年)汛期入库流量大，2 000 m^3／s以上流量排沙机会多，相应发电历时仅63天，而枯水系列(1986~1997年)发电历时高达106天。因此，枯水系列汛期发电量较丰水系列增加0.64亿kW·h，平水期水量利用率增加7%，但由于305 m以下调节库容小，机组运行工况差，不能满负荷运行，平水期弃水量绝对值较丰水系列大。

表3-37　汛期平水期平均发电量及水量利用情况

时段（年）	历时(天)	来水量(亿 m^3)	占汛期(%)	计算发电量(亿kW·h)	发电用水量(亿 m^3)	水量利用率(%)	发电期弃水量(亿 m^3)
1974~1985	63	67.5	28.6	1.24	20.96	31.05	46.54
1986~1997	106	83.8	67.1	1.88	32.04	38.23	51.76

(3)非汛期发电分析。非汛期发电量分析计算中，同一水沙系列，影响发电量大小的因素主要有：非汛期起调水位(等于控制水位)和最高运用水位。非汛期水库不同运用方案对发电量的影响主要表现在水能综合利用率，平均运用水位高低对发电水头和耗水率产生直接影响，非汛期最高运用水位决定了水库对不均匀的天然来水过程的调节能力的大小。各方案非汛期发电及水量利用情况见表3-38

表3-38　各方案非汛期发电及水量利用率统计

方案	1974~1985年				1986~1997年			
	发电量(亿kW·h)	发电用水量(亿 m^3)	弃水量(亿 m^3)	水量利用率(%)	发电量(亿kW·h)	发电用水量(亿 m^3)	弃水量(亿 m^3)	水量利用率(%)
1	5.29	68.2	97.94	41.0	5.08	65.07	78.09	45.5
3	8.99	110.59	55.55	66.6	8.13	99.18	43.98	69.3
4	11.14	130.25	35.89	78.4	9.95	116.41	26.75	81.3

从各个方案计算结果看，由于非汛期天然来水过程的不均匀性，使水库调节性能好坏对非汛期发电量影响十分敏感，同时非汛期平均运用水位高低直接影响发电耗水率及发电量。以下从两个方面进行分析：

(1)从非汛期水库调节能力大小看，非汛期水库最高运用水位越高，相应水库调节能力越大，水量利用率提高，发电量增加。方案1、方案3、方案4非汛期最高水位分别为310、315、320 m，无论是丰水系列还是枯水系列随着最高水位的抬高，调节库容增大，水量利用率提高，发电量逐渐增加。

(2)非汛期最高运用水位高低，对丰水系列的影响更大。方案1与方案4相比，1974～1985年系列发电量相差5.85亿kW·h，水量利用率提高37.4%；1986～1997年系列发电量相差4.87亿kW·h，水量利用率提高35.8%。

3.5.4 综合分析

表3-39为通过泥沙数学模型，计算两个水沙系列各方案库区分段累积冲淤量、期末潼关高程以及各方案对应的发电量情况。

表3-39 各方案综合对比

时段(年)	方案	分段累积冲淤量(亿 m^3)					期末潼关高程	发电量(亿kW·h)		
		黄淤41—黄淤36	黄淤36—黄淤31	黄淤31—黄淤22	黄淤22—黄淤1	黄淤41—黄淤1		汛期	非汛期	水文年
1974～1985	1	−0.239 5	−0.450 5	−0.803 7	−0.920 9	−2.414 6	326.34	1.14	5.29	6.43
	2	−0.364 7	−0.703 6	−0.928 8	−1.051 1	−3.048 1	326.04	0	0	0
	3	−0.220 1	−0.405 0	−0.733 4	−0.869 8	−2.228 3	326.35	1.31	8.99	10.30
	4	−0.201 7	−0.385 6	−0.615 2	−0.817 5	−2.020 1	326.36	1.26	11.14	12.40
1986～1997	1	0.075 3	0.220 5	−0.482 4	−0.677 8	−0.864 3	328.17	1.81	5.08	6.89
	2	−0.098 2	−0.086 3	−0.527 0	−0.734 5	−1.446 1	327.65	0	0	0
	3	0.088 4	0.233 7	−0.453 0	−0.538 7	−0.669 5	328.20	1.93	8.13	10.06
	4	0.099 2	0.253 4	−0.412 3	−0.457 9	−0.517 6	328.26	1.89	9.95	11.84

通过综合对比分析，可归纳为以下几个方面：

(1)方案2全年敞泄运用，库区普遍发生冲刷，潼关高程也相应下降，而且丰水系列冲刷下降多，枯水系列冲刷下降少。这充分说明潼关高程的高低主要取决于某一时段的水沙条件，尤其是汛期水量特别是洪水期水量。但与其他方案相比，冲淤量相差较大的河段主要在坝前，且向上游逐渐减弱，若采用全年敞泄方式，水库除大洪水时具有一定的滞洪作用外，其他效益均为零。

(2)“蓄清排浑”运用方式下，汛期采用“洪水排沙，平水发电”方式，洪水期排沙水位和排沙流量级均有降低(水位由300 m降到292 m，流量由3 000 m^3/s降到2 000 m^3/s)，两个水沙系列计算溯源冲刷发展范围都超过大禹渡(黄淤31断面)，丰水系列可发展到潼关至坫垮河段；汛期平水期控制305 m运用时，产生的溯源淤积主要发生在坝前北村(黄淤22断面)以下，自下而上影响逐渐减弱。因此，平水期控制水位应在回水不超过北村(相应水位为308 m)的范围内开展原型试验，为优化汛期运用提供资料。

(3)方案1、3、4的主要区别是非汛期最高运用水位不同。从表3-39对比可知，1974～1985年系列各方案计算潼关以下库区普遍发生冲刷，时段末潼关高程差别不大，但发电量方案1较方案4少6亿kW·h；1986～1997年系列各方案潼关至大禹渡段发生淤积，大禹渡至坝前段冲刷，方案1与方案4相比，潼关至坫垮段累计淤积量减少0.02亿 m^3，时段末潼关高程下降0.09 m，但发电量减少5亿kW·h。方案3与方案4相比，两系列各河段冲淤量和时段末潼关高程接近，但发电量减少2亿kW·h左右。因此，从发挥水库的综合效益来说，方案3、4相对比较合理。

4　不同流量级排沙效果分析和计算

表 3-40 为三门峡水库不同时期汛期各级流量的水沙量及冲淤强度。从表可以看出：当流量小于 1 000 m^3/s 时，库区冲刷量和冲刷强度均很小；3 500～4 000 m^3/s 的流量级冲刷强度较大，但出现几率较小，库区冲刷量较小；各个时段内的最大冲刷强度经常出现在流量 2 500～3 000 m^3/s 一级。

表 3-40　三门峡水库汛期各时段不同流量级水沙量及冲淤强度统计

时段(年)	流量级	天数(天)	水量(亿 m^3)	出库沙量(亿 t)	进库沙量(亿 t)	冲淤量(亿 t)	冲刷强度(亿 t/天)
1974～1985	<500	2.3	0.7	0.010	0.009	–0.001	–0.000 4
	500～1 000	16.7	10.9	0.303	0.248	–0.055	–0.003 3
	1 000～1 500	22.8	24.5	0.896	0.650	–0.246	–0.010 8
	1 500～2 000	20.9	31.4	1.446	0.980	–0.466	–0.022 3
	2 000～2 500	18.4	35.5	1.708	1.352	–0.356	–0.019 4
	2 500～3 000	11.4	26.8	1.747	1.164	–0.583	–0.051 1
	3 000～3 500	9.5	26.5	1.174	0.848	–0.326	–0.034 3
	3 500～4 000	8.8	28.3	1.098	0.896	–0.202	–0.023 0
	4 000～4 500	6.4	23.4	0.945	0.739	–0.206	–0.032 2
	>4 500	5.9	28.1	1.500	2.000	0.500	0.084 7
1986～1993	<500	17.5	5.1	0.119	0.051	–0.068	–0.003 9
	500～1 000	41.0	25.9	0.458	0.453	–0.005	–0.000 1
	1 000～1 500	27.9	29.2	0.987	0.784	–0.203	–0.007 3
	1 500～2 000	15.9	23.5	1.125	0.918	–0.207	–0.013 0
	2 000～2 500	7.8	14.8	0.957	0.720	–0.237	–0.030 4
	2 500～3 000	7.0	16.7	1.362	0.976	–0.386	–0.055 1
	3 000～3 500	3.5	9.7	0.533	0.435	–0.098	–0.028 0
	3 500～4 000	1.0	3.2	0.546	0.269	–0.277	–0.277 0
	4 000～4 500	0.8	2.7	0.416	0.341	–0.075	–0.093 8
	>4 500	0.8	3.4	0.300	0.400	0.100	0.125 0
1994～1999	<500	31.8	8.5	0.101	0.110	0.009	0.000 3
	500～1 000	41.8	25.0	0.613	0.586	–0.027	–0.000 7
	1 000～1 500	27.3	28.6	1.297	1.304	0.007	0.000 3
	1 500～2 000	13.3	20.0	1.919	1.506	–0.413	–0.031 1
	2 000～2 500	5.7	10.8	1.697	1.114	–0.583	–0.102 3
	2 500～3 000	0.8	2.0	0.477	0.376	–0.101	–0.126 3
	3 000～3 500	1.3	3.7	0.939	0.751	–0.188	–0.144 6
	3 500～4 000	0.2	0.5	0.206	0.199	–0.007	–0.035 0
	4 000～4 500	0.2	0.6	0.067	0.126	0.059	0.295 0
	>4 500	0.5	2.3	0.300	0.400	0.100	0.200 0

从表中还可以看出，在 1974～1985 年、1986～1993 年和 1994～1999 年 3 个统计时段内，流量大于 2 500 m^3/s 的天数分别为 42、13.1 天和 3 天，占汛期的 34.1%、10.6% 和 2.4%，即入库流量大于 2 500 m^3/s 的天数自 1986 年以来减少很多。若水库仅利用大流量排沙，很可能会使水库在汛期失去排沙机会。因此，水库的排沙流量应适当降低，表中 1 500～2 000 m^3/s 的流量级虽然冲刷强度不是最大，但由于出现的几率多，来水来沙量大，冲刷量也较大，水库在汛期调度运用中应充分利用该级流量的排沙作用。

三门峡水库入库水、沙量主要集中在汛期，尤其是泥沙集中在汛期内的几场洪水，这为汛期发电采用“洪水排沙、平水发电”的运用方式提供了必要条件。库区淤积的泥沙主要是靠大流量时降低坝前水位，加大冲刷比降，形成强烈的溯源冲刷，把泥沙排出库外。这种大流量结合降低库水位发生的强力溯源冲刷与沿程冲刷相衔接，有利于潼关高程的下降，也有利于下游河道输沙和减轻河道淤积。小流量冲刷弱，即使降低库水位排沙，也只局限于坝前小范围内，向上发展很慢。

综合考虑各级流量的排沙作用和近阶段来各级流量发生的几率，三门峡水库汛期的排沙流量应为1 500～2 500 m^3 / s之间。

表3-41为1974～1997年汛期、非汛期来水来沙情况统计，由统计结果可以看出：1974年11月1日～1985年10月31日水沙系列，汛期水量平均236.2亿m^3，大于3 000 m^3 / s流量年平均排沙时间为30.6天、水量106.4亿m^3，排沙天数占汛期天数的24.8%，排沙水量占汛期水量的45%；大于2 500 m^3 / s流量年平均排沙时间为42天、水量133.1亿m^3，排沙天数占汛期天数的34.1%，排沙水量占汛期水量的49%；大于2 000 m^3 / s流量年平均排沙时间为60.4天、水量168.7亿m^3，排沙天数占汛期天数的48.1%，排沙水量占汛期水量的64.5%。

1986年11月1日～1997年10月31日水沙系列，汛期水量年均125.3亿m^3，大于3 000 m^3 / s流量年平均排沙时间仅4.7天、水量10.0亿m^3，排沙天数占汛期天数的3.8%，排沙水量占汛期水量的7.9%，大部分年份汛期排沙时间均小于5天；大于2 500 m^3 / s流量年平均排沙时间为10天、水量27.8亿m^3，排沙天数占汛期天数的8%，排沙水量占汛期水量的17.5%；大于2 000 m^3 / s流量年平均排沙时间为17.2天、水量41.4亿m^3，排沙天数占汛期天数的13.8%，排沙水量占汛期水量的27.2%。

由上述统计结果可知，对于丰水系列，采用2 000、2 500 m^3 / s和3 000 m^3 / s流量级进行排沙，年平均排沙时间均大于30天以上、排沙水量在100亿m^3以上，排沙机会都是很大；对于枯水系列，2 500、3 000 m^3 / s流量级与2 000 m^3 / s流量级进行比较，每年平均排沙几率和排沙水量减少很多。

为了分析三门峡水库汛期不同排沙流量级对库区沿程冲淤的影响，尤其是对潼关至坫垮河段冲淤和潼关高程的影响，根据原设计方案，以方案4为基础，将原来排沙流量2 000 m^3 / s级分别再按两个流量级2 500 m^3 / s和3 000 m^3 / s进行计算，计算时间仍是1974年11月1日～1985年10月31日和1986年11月1日～1997年10月31日两个水沙系列。

由表3-42、表3-43可以看出，由于不同流量级的排沙时间和冲刷强度的不同，对库区的冲刷效果及对潼关高程的影响也不同。当三门峡水库入库水沙条件为1974～1985年时，排沙流量为2 000 m^3 / s与2 500 m^3 / s的计算结果相比，潼关至坫垮河段(黄淤41—黄淤36)冲淤量差别较小，2 500 m^3 / s流量的冲刷量仅减少7.3%，潼关高程相差也仅多抬升0.08 m；排沙流量为2 000 m^3 / s与30 000 m^3 / s计算结果相比，3 000 m^3 / s的流量潼关至坫垮河段冲刷量减少15.4%，潼关高程多抬升0.17 m。当三门峡水库入库水沙条件为1986～1997年时(见表3-44、表3-45)，排沙流量为2 000 m^3 / s与2 500 m^3 / s计算结果相比，2 500 m^3 / s流量的潼关至坫垮河段淤积量增加25%，潼关高程多抬升0.22 m；排沙流量为2 000 m^3 / s与3 000 m^3 / s计算结果相比，3 000 m^3 / s流量的潼关至坫垮河段淤积量增加90%，潼关高程多抬高0.87 m。

表 3-41 1974～1997 年汛期、非汛期来水来沙特征统计

年份	Q>2 000 m^3/s				Q>2 500 m^3/s				Q>3 000 m^3/s				水量		沙量	
	水量(亿 m^3)	沙量(亿 t)	天数(天)	平均流量(m^3/s)	水量(亿 m^3)	沙量(亿 t)	天数(天)	平均流量(m^3/s)	水量(亿 m^3)	沙量(亿 t)	天数(天)	平均流量(m^3/s)	汛期(亿 m^3)	非汛期(亿 m^3)	汛期(亿 t)	非汛期(亿 t)
1974	26.9	2.49	12	2 595	19.3	2.13	8	2 792	5.4	0.74	2	3 125	121.8	158.2	5.52	2.08
1975	270.8	9.81	96	3 265	231.2	8.83	76	3 521	181.6	7.02	55	3 822	302.3	219.5	10.30	2.15
1976	255.4	7.40	77	3 839	219.1	6.63	58	4 372	195.8	6.08	48	4 721	319.2	167.2	8.45	1.40
1977	68.8	17.44	24	3 318	45.7	15.95	12	4 408	36.4	13.96	8	5 266	166.3	122.3	20.65	1.20
1978	150.9	7.70	58	3 011	112.0	5.44	37	3 504	81.8	3.12	24	3 945	222.9	149.8	12.37	1.38
1979	159.2	7.65	67	2 750	104.9	4.77	39	3 113	62.0	3.33	21	3 417	217.1	142.5	9.59	1.36
1980	28.1	1.78	14	2 323	4.7	0.19	2	2 720	0	0	0	0	134.0	114.3	4.66	1.19
1981	303.1	9.53	95	3 693	263.1	8.17	75	4 060	223.2	6.50	58	4 454	338.3	181.7	10.56	1.48
1982	93.3	2.99	44	2 454	39.9	1.71	16	2 886	15.1	0.94	5	3 495	183.7	181.5	4.33	1.75
1983	276.1	5.36	96	3 329	247.4	4.86	81	3 535	209.1	4.07	65	3 723	313.9	210.5	5.86	2.00
1984	227.2	6.38	83	3 168	182.7	5.29	60	3 524	152.3	4.83	47	3 750	281.9	174.9	7.00	1.31
1985	164.1	5.02	59	3 219	127.8	3.32	40	3 698	113.6	2.74	34	3 867	233.1	171.3	6.88	2.07
1974～1985	168.7	7.00	60.4	3 233	133.1	5.60	42.0	366 8	106.4	4.4	30.6	4 024	236.2	166.1	8.80	1.60

续表 3-41

年份	Q>2 000 m³/s				Q>2 500 m³/s				Q>3 000 m³/s				水量		沙量	
	水量 (亿 m³)	沙量 (亿 t)	天数 (天)	平均流量 (m³/s)	水量 (亿 m³)	沙量 (亿 t)	天数 (天)	平均流量 (m³/s)	水量 (亿 m³)	沙量 (亿 t)	天数 (天)	平均流量 (m³/s)	汛期 (亿 m³)	非汛期 (亿 m³)	汛期 (亿 t)	非汛期 (亿 t)
1986	43.9	1.12	19	2 674	31.9	0.87	13	2 840	11.3	0.40	4	3 270	134.3	117.7	2.11	1.15
1987	5.0	0.52	2	2 894	3.0	0.29	1	3 472	3.0	0.29	1	3 472	75.4	122.1	2.08	1.13
1988	97.0	10.01	37	3 034	72.6	8.30	24	3 501	45.7	5.26	13	4 069	187.0	171.7	12.47	1.94
1989	136.5	4.45	52	3 038	121.0	4.15	44	3 183	70.6	2.86	23	3 553	199.9	211.4	6.59	2.11
1990	21.9	1.50	10	2 535	12.7	0.88	5	2 940	3.5	0.24	1	4 051	138.6	187.3	5.50	4.16
1991	2.3	0.29	1	2 662	2.3	0.29	1	2 662	0	0	0	0	61.1	120.4	1.99	1.87
1992	48.3	5.14	21	2 662	26.7	3.48	10	3 090	12.2	1.91	4	3 530	130.9	155.0	8.05	1.94
1993	44.0	2.11	22	2 315	10.5	1.12	4	3 038	5.8	0.70	2	3 356	139.6	153.3	4.08	1.81
1994	34.6	6.39	13	3 080	24.5	5.42	8	3 545	19.7	4.32	6	3 800	133.3	140.9	10.30	1.87
1995	18.8	1.67	9	2 418	7.5	0.81	3	2 894	5.3	0.53	2	3 067	113.7	127.4	6.78	2.01
1996	35.2	4.92	16	2 546	13.1	2.69	4	3 791	10.6	2.14	3	4 070	128.0	104.7	9.36	1.22
1997	5.0	1.62	2	2 894	3.1	1.19	1	3 588	3.1	1.19	1	3 588	56	107	4.11	2.17
1986～1997	41.0	3.3	17.0	2 791	27.4	2.5	9.8	3 236	15.0	1.60	4.7	3 694	124.8	143.2	6.1	1.9
1974～1997	104.9	5.1	38.7	3 137	80.3	4.0	25.9	3 588	58.8	3.0	17.1	3 980	180.5	154.7	7.5	1.8

表 3-42　不同排沙流量方案(1974.11.1～1985.10.31)累积冲淤量计算结果

流量(m³/s)	黄淤 41—黄淤 36	黄淤 36—黄淤 31	黄淤 31—黄淤 22	黄淤 22—黄淤 1	黄淤 41—黄淤 1	潼关高程(m)
2 000	–0.201 7	–0.385 6	–0.705 2	–0.907 5	–2.200 1	326.36
2 500	–0.187 0	–0.220 7	–0.393 7	–0.695 2	–1.496 6	326.44
3 000	–0.170 7	–0.191 7	–0.317 7	–0.523 4	–1.203 5	326.53

表 3-43　不同排沙流量方案(1974.11.1～1985.10.31)汛期、非汛期累积冲淤量计算结果

流量(m³/s)	时段	黄淤 41—黄淤 36	黄淤 36—黄淤 31	黄淤 31—黄淤 22	黄淤 22—黄淤 1	黄淤 41—黄淤 1
2 000	汛期	–1.584 2	–4.480 9	–6.183 8	–5.185 1	–17.434 0
	非汛期	1.382 4	4.095 3	5.478 6	4.277 6	15.233 9
	水文年	–0.201 7	–0.385 6	–0.705 2	–0.907 5	–2.200 1
2 500	汛期	–1.564 4	–4.278 0	–5.786 5	–4.907 1	–16.536 0
	非汛期	1.377 4	4.057 3	5.392 8	4.211 9	15.039 4
	水文年	–0.187 0	–0.220 7	–0.393 7	–0.695 2	–1.496 6
3 000	汛期	–1.545 5	–4.231 3	–5.644 8	–4.685 0	–16.106 5
	非汛期	1.374 8	4.039 6	5.327 1	4.161 6	14.903 0
	水文年	–0.170 7	–0.191 7	–0.317 7	–0.523 4	–1.203 5

由图 3-11 丰水系列大禹渡至坝前累积冲淤量变化过程可以看出，水库在运用年内是冲刷的，即汛期冲刷量大于非汛期淤积量，从表 3-41 可知，主要原因是该水沙系列来水偏丰，尤其是大于 2 500 m³／s 和 3 000 m³／s 流量的天数较多，年平均天数分别为 42 天和 30 天，年平均水量分别为 133 亿 m³ 和 106 亿 m³。从每年冲淤过程分析，只有 1980 年汛期来水量较少，1980 年汛期流量大于 2 500 m³／s 为 2 天，大于 3 000 m³／s 天数没有出现。从图 3-11 可以看出，1980 年 2 500、3 000 m³／s 流量线的汛期冲刷量都小于前期非汛期淤积量，但由于 1981 年汛期来水量多，大于 2 500 m³／s 和 3 000 m³／s 的天数分别为 75 天和 58 天，水库排沙机会较多。因此，1981 年不仅将前期淤积冲刷出库，而且大禹渡以下河段发生了强列冲刷。从而没有造成大禹渡以下河段出现累计性淤积，对大禹渡以上河段冲淤演变影响较小。从图 3-12 潼关至坫垮河段累计淤积量过程可以看出，各个方案差别不大，对潼关高程相对影响也不大。

表 3-44　不同排沙流量方案(1986.11.1～1997.10.31)累积冲淤量计算结果

流量(m³/s)	黄淤 41—黄淤 36	黄淤 36—黄淤 31	黄淤 31—黄淤 22	黄淤 22—黄淤 1	黄淤 41—黄淤 1	潼关高程(m)
2 000	0.099 2	0.253 4	–0.412 3	–0.457 9	–0.517 6	328.26
2 500	0.124 1	0.327 7	–0.290 1	0.058 4	0.220 1	328.48
3 000	0.188 5	0.414 1	0.302 0	0.224 7	1.129 3	329.13

表 3-45 不同排沙流量方案(1986.11.1～1997.10.31)汛期、非汛期累积冲淤量计算结果

流量(m^3／s)	时段	黄淤 41—黄淤 36	黄淤 36—黄淤 31	黄淤 31—黄淤 22	黄淤 22—黄淤 1	黄淤 41—黄淤 1
2 000	汛期	–0.367 7	–2.337 1	–5.345 2	–6.186 2	–14.236 2
	非汛期	0.466 9	2.590 5	4.932 8	5.728 3	13.718 6
	水文年	0.099 2	0.253 4	–0.412 3	–0.457 9	–0.517 6
2 500	汛期	–0.329 3	–2.163 8	–5.218 4	–5.653 7	–13.365 2
	非汛期	0.453 3	2.491 5	4.928 2	5.712 2	13.585 2
	水文年	0.124 1	0.327 7	–0.290 1	0.058 4	0.220 1
3 000	汛期	–0.251 0	–2.254 6	–4.651 5	–5.424 8	–12.581 9
	非汛期	0.439 5	2.668 8	4.953 4	5.649 5	13.711 1
	水文年	0.188 5	0.414 1	0.302 0	0.224 7	1.129 3

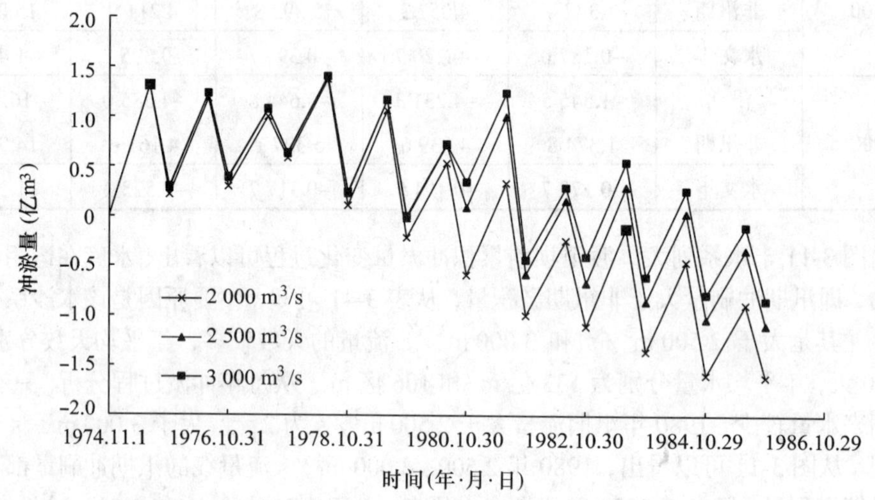

图 3-11 不同排沙流量大禹渡至坝前计算累积冲淤量比较(1974～1985 年系列)

由图 3-13 枯水系列大禹渡至坝前累积冲淤量变化过程可以看出，水库采用 3 000 m^3／s 流量排沙，大禹渡以下河段出现了累积性淤积，尤其是 20 世纪 90 年代以后水沙系列大部分运用年都出现了淤积，即汛期冲刷量小于非汛期淤积量。采用 2 500 m^3／s 流量排沙，在 1994 年以后也出现了累积性淤积。由于大禹渡河段以下出现了累积性淤积，从图 3-14 可以看出，2 500、3 000 m^3／s 与 2 000 m^3／s 排沙流量相比，潼关至坫垮河段累积淤积量相对增加，特别是 3 000 m^3／s 流量增加幅度较大，由此造成对潼关高程的影响，3 000 m^3／s 流量与 2 000 m^3／s 流量比较，潼关高程抬升了 0.87 m，影响比较明显，2 500 m^3／s 流量影响相对较小。造成这种情况的主要原因是该水沙系列来水偏枯，由表 3-41 可知，1986～1997 年期间大于 3 000 m^3／s 流量的天数很少，年平均天数仅 4.7 天，年平均水量仅 15 亿 m^3，水库排沙机会减少，排沙强度急剧降低。

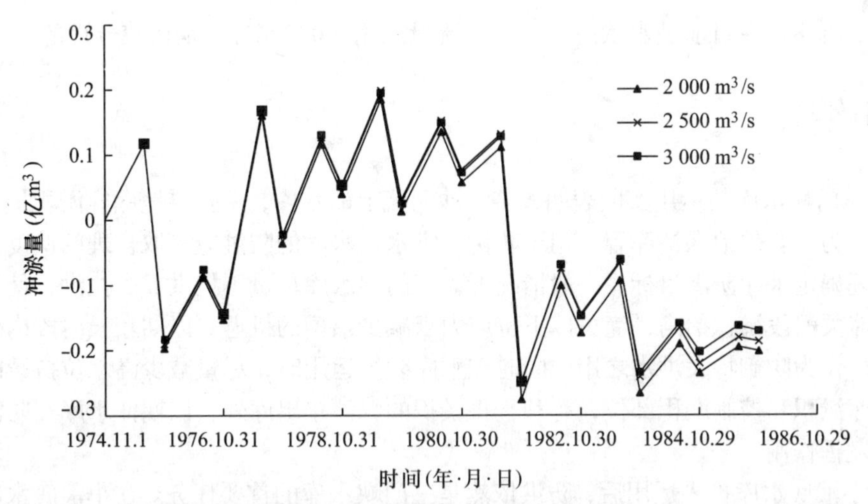

图 3-12 不同排沙流量潼关至坫垮计算累积冲淤量过程比较(1974～1985 年系列)

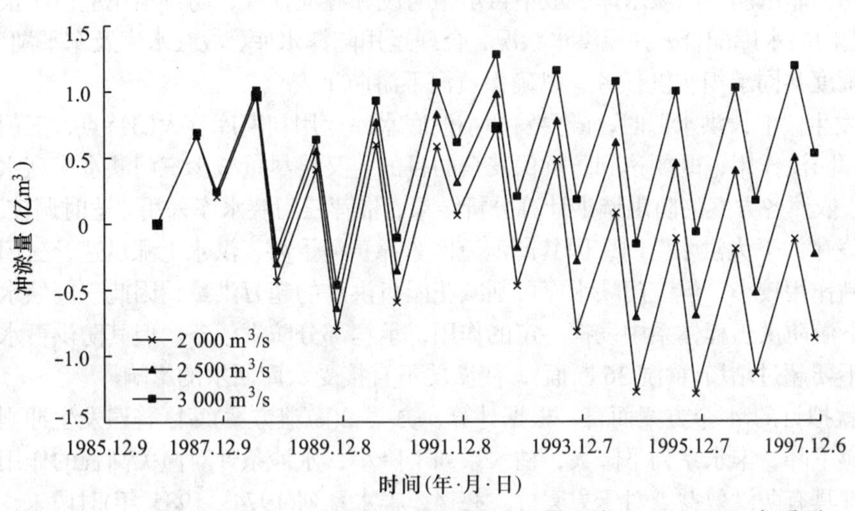

图 3-13 不同排沙流量大禹渡至坝前计算累积冲淤量比较(1986～1997 年系列)

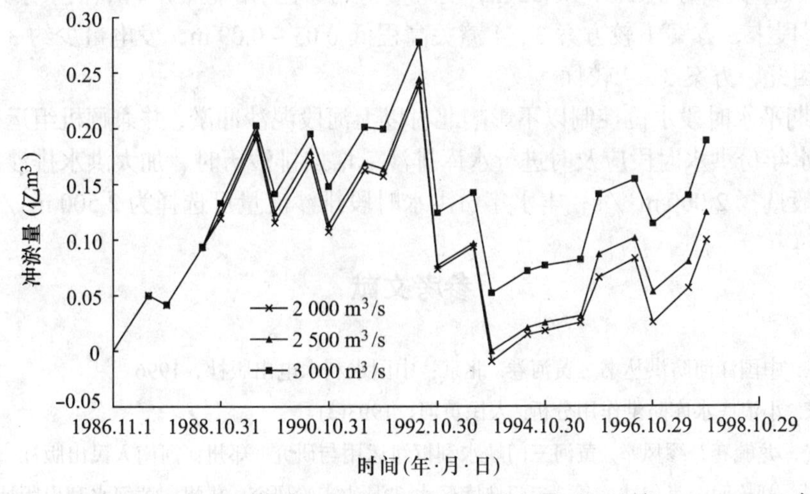

图 3-14 不同排沙流量潼关至坫垮不同方案计算累积冲淤量过程比较(1986～1997 年系列)

综上所述，在目前枯水状态下，排沙流量采用 2 000 m^3 / s 是比较合理的。

5 小结

(1)三门峡水库的运用实践表明，多泥沙河流上的水库，一旦滩地库容淤积损失后很难恢复。为了有效地保持库容，用于防御大洪水，水库的防洪应采取合理的调度运用方式和合理确定水库防洪目标。一般情况下，三门峡水库尽量不拦洪或少拦洪，使回水不致造成潼关河段淤积抬高，潼关以下也应力求减少出槽的机遇，以期较长时段内保留滩地库容，作为防御特大洪水之用。同时在水库防洪运用时，尽量减少高水位持续时间，减少水库淤积和控制淤积部位，有利于将淤积的泥沙排出库外，以期使水库在防洪运用中不断发挥作用。

(2)小浪底水库投入运用后，防洪依然是三门峡水库的首要任务。在小浪底水库建成运用初期，非汛期三门峡水库一般不再承担防凌和春灌任务；防洪运用应以小浪底水库为主，三门峡水库配合，并视洪水状况，合理运用陆浑水库、故县水库及东平湖滞洪区，经联合调度共同承担防洪任务，以确保黄河下游防洪安全。

(3)发生“上大洪水”时，既要发挥小浪底水库运用初期库容大的特点，三门峡水库也要发挥防洪作用；既要达到防洪保安全的目的，又要尽量减少三门峡水库高水位的持续时间。依照各方案的防洪调洪计算分析结果，推荐三门峡水库采用“适时调控”方案。

(4)发生“下大洪水”时，因其产汇流区紧靠黄河下游，洪水上涨迅速，三门峡水库对其控制作用较小，但三门峡水库可削减花园口洪水的超万洪量，因此三门峡水库也应在黄河下游防洪工程体系中发挥一定的作用，承担部分防洪任务。但其防洪蓄水运用回水最好不要超过坫垮(黄淤 36 断面)，使潼关不直接受水库回水的影响。

(5)就拟订的 4 个方案而言，根据计算，方案 2(敞泄方案)库区普遍发生冲刷，潼关高程相应下降，丰水系列下降大，枯水系列下降小，水沙条件对潼关高程的作用明显。该方案仅具有防洪效益。对于方案 1、3、4，丰水系列(1974 ~ 1985 年)时段末，方案 1 较方案 3、4 潼关高程低 0.01 ~ 0.02 m，发电量少约 4 亿 ~ 6 亿 kW · h；枯水系列(1986 ~ 1997 年)时段末，方案 1 较方案 3、4 潼关高程低 0.03 ~ 0.09 m，发电量少约 3 亿 ~ 5 亿 kW · h。因此，方案 3、4 较优。

(6)汛期平水时段水位控制以不影响北村以上河段泥沙冲淤，并兼顾机组运行工况为原则。枯水年份洪水时段应及时进行水库排沙，增加排沙历时、加大洪水排沙力度，排沙流量一般选择 2 000 m^3 / s；丰水年份洪水时段排沙流量可选择为 2 500 m^3 / s。

参考文献

[1] 胡一三. 中国江河防洪丛书 · 黄河卷. 北京：中国水利水电出版社，1996

[2] 李文家. 小浪底水库防洪作用分析. 人民黄河，1993(3)

[3] 杨庆安，龙毓骞，缪凤举. 黄河三门峡水利枢纽运用与研究. 郑州：河南人民出版社，1995

[4] 程龙渊，刘拴明，肖俊法，等. 三门峡库区水文泥沙实验研究. 郑州：黄河水利出版社，1999

[5] 林秀山.黄河小浪底水利枢纽文集. 郑州：黄河水利出版社，1997
[6] 胡一三，缪凤举，等. 小浪底水库运用初期三门峡水库防洪运用分析. 泥沙研究，2001(2)
[7] 曲少军，丁六逸，等. 小浪底水库运用后三门峡水库运用方式的初步研究. 泥沙研究，2001(2)
[8] 钱意颖. 黄河泥沙冲淤数学模型. 郑州：黄河水利出版社，1998

第四章　潼关高程发展趋势及改善措施

1　潼关高程变化发展趋势

三门峡水库蓄清排浑运用后，潼关高程的演变规律基本上为非汛期淤积上升，汛期冲刷下降。不同运用阶段潼关高程变化的影响因素不同，其演变趋势也各有特点。

1.1　非汛期潼关高程变化趋势

非汛期潼关河床淤积升高，有自然水沙条件下河床调整的因素，也受三门峡水库蓄水的影响。非汛期潼关高程升降可分 3 个阶段：汛末至桃汛前(11 月～来年 3 月)、桃汛期(3～4 月)、桃汛末至汛初(4～6 月)。

1.1.1　11 月～来年 3 月潼关高程变化

这一时期包括凌前蓄水和防凌蓄水。自 1974 年三门峡水库控制运用以来，潼关高程年均升高 0.35 m(见表 4-1)，占非汛期上升值的 81%。受水库运用和冰情变化的影响，潼关高程各年上升值相差很大。1977 年凌汛运用水位高，高水位持续时间长，加之冰情带来的变化，潼关高程上升 1.04 m；1987 年凌汛入库水沙量极枯，防凌最高蓄水位 316.28 m，潼关高程上升 0.05 m，二者相差 20 倍。

1993 年和 1996 年凌汛因下段河道冰塞壅水上延，河床淤积增多，潼关高程分别上升 0.64 m、0.28 m。这是冰情变化带来的一种特殊情况。

三门峡水库控制运用以来，1979 年以前凌汛期库水位高于 322 m 的年份，潼关高程上升明显偏大，年均升高 0.49 m；库水位低于 322 m 的年份共有 18 年，约占统计年总数的 66.7%，潼关高程年均升高 0.28 m。近几年，凌汛期间超过 322 m 水位的运用时间大大减少。随着小浪底水库的投入使用，三门峡水库的防凌任务减轻，运用水位将进一步得到改善。因此，凌汛期潼关高程上升将趋于减小；但考虑潼关以下宽浅段河道形态的不利变化，凌汛局部河段冰塞壅水上延现象仍有可能发生。

1.1.2　桃汛期及 4～6 月潼关高程变化

桃汛期为潼关高程冲刷下降阶段。在此期间潼关高程变化主要受桃峰流量、峰前水库起调水位和峰后控制运用水位的影响。从表 4-1 中可以看出，1974 年以来桃峰前后潼关高程除 1976～1979 年和 1987 年因受水库壅水影响或桃峰流量小而持平或略有升高外，其余年份均有不同程度下降。多年平均下降 0.11 m，尤其 1993 年降低起调水位之后，潼关高程降幅明显增大，至 1998 年桃汛平均下降 0.26 m，比前期平均增大 0.15 m。近两年桃汛洪水受万家寨水库调节影响，洪峰流量减小，冲刷力度有所下降，1999 年和 2000 年桃汛前后潼关高程基本不变。从图 4-1 中桃汛期间潼关高程升降值与 $Q_{m潼}\Delta H_{tg—sjt}^{1/2}$ 关系可以看出，在目前的河道条件下，桃汛洪峰流量大小对潼关河床冲刷起主导作用，洪水前的潼关高程和水库起调水位对河床冲刷也有一定影响。

表 4-1　三门峡水库控制运用以来潼关高程变化统计

运用年 (年・月)	升降值(m)				
	凌期	桃汛	春灌	非汛期	汛期
1973.11 ~ 1974.10	0.71	–0.26	0.10	0.55	–0.49
1974.11 ~ 1975.10	0.25	–0.09	0.37	0.53	–1.19
1975.11 ~ 1976.10	0.44	0.05	0.18	0.67	–0.59
1976.11 ~ 1977.10	1.04	0.19	0.02	1.25	–0.58
1977.11 ~ 1978.10	0.23	0	0.28	0.51	–0.21
1978.11 ~ 1979.10	0.58	0.01	0.08	0.67	–0.14
1979.11 ~ 1980.10	0.06	–0.06	0.20	0.20	–0.44
1980.11 ~ 1981.10	0.22	–0.11	0.46	0.57	–1.01
1981.11 ~ 1982.10	0.42	–0.11	0.19	0.50	–0.38
1982.11 ~ 1983.10	0.26	–0.20	0.27	0.33	–0.82
1983.11 ~ 1984.10	0.53	0	0.08	0.61	–0.43
1984.11 ~ 1985.10	0.31	–0.08	–0.02	0.21	–0.32
1985.11 ~ 1986.10	0.53	–0.19	0.10	0.44	0.10
1986.11 ~ 1987.10	0.05	0.04	0.03	0.12	–0.14
1987.11 ~ 1988.10	0.21	–0.07	0.07	0.21	–0.29
1988.11 ~ 1989.10	0.29	–0.09	0.34	0.54	–0.26
1989.11 ~ 1990.10	0.29	–0.13	0.23	0.39	–0.15
1990.11 ~ 1991.10	0.31	–0.30	0.41	0.42	–0.12
1991.11 ~ 1992.10	0.38	–0.03	0.15	0.50	–1.10
1992.11 ~ 1993.10	0.64	–0.24	0.08	0.48	0
1993.11 ~ 1994.10	0.24	–0.24	0.17	0.17	–0.26
1994.11 ~ 1995.10	0.46	–0.06	0.03	0.43	0.16
1995.11 ~ 1996.10	0.28	–0.44	0.30	0.14	–0.35
1996.11 ~ 1997.10	0.15	–0.24	0.42	0.33	–0.35
1997.11 ~ 1998.10	0.18	–0.33	0.50	0.35	–0.12
1998.11 ~ 1999.10	0.33	0.01	–0.19	0.15	–0.31
1999.11 ~ 2000.10	0.18	–0.01	0.19	0.36	–0.15
1974 ~ 1979(平均)	0.54	–0.02	0.17	0.69	–0.53
1980 ~ 1985(平均)	0.30	–0.09	0.20	0.41	–0.57
1986 ~ 1992(平均)	0.29	–0.11	0.19	0.37	–0.28
1993 ~ 1998(平均)	0.33	–0.26	0.25	0.32	–0.15
1974 ~ 2000(平均)	0.35	–0.11	0.19	0.43	–0.37

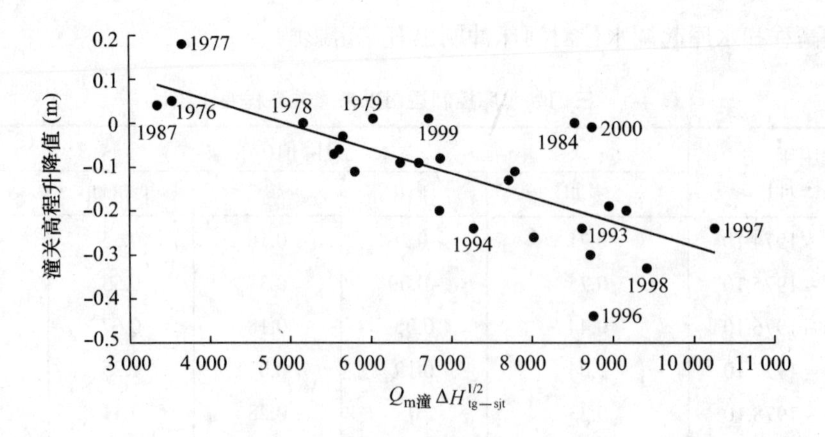

图 4-1　桃汛期间潼关高程升降值与 $Q_{m潼}\Delta H_{tg-sjt}^{1/2}$ 关系图

潼关河床经桃汛冲刷之后，三门峡水库进入春灌蓄水期，少数年份水库运用水位高，直接产生壅水淤积，一般年份不受壅水影响，河床为自然回淤。从历年桃汛期潼关高程的变化看，下降幅度大的年份，春灌期上升值亦相应增大。如 1993 ~ 1998 年桃汛期起调水位下降，潼关河床冲刷幅度显著增大，虽然春灌期最高库水位基本控制在 322 m 以下，潼关高程上升值仍大于其他时期。二者相抵之后，1974 ~ 1992 年潼关高程略有上升，1993 ~ 1998 年基本冲淤平衡。

综合分析表明，小浪底水库运用初期，三门峡水库在一般年份不再承担防凌和春灌蓄水任务，三门峡水库运用方式将会继续优化，从而达到库水位不影响潼关高程的目的。原来的凌汛期升高减缓；由于万家寨水库的蓄水调节，桃汛洪峰流量可能减小，对潼关河床的冲刷作用将会减弱；原春灌蓄水期随库水位的降低潼关河床回升值也会减小。非汛期潼关高程的上升值将取决于上游的来水来沙条件及潼关河段的河道特性，接近天然条件下的演变特点。

1.2　汛期潼关高程演变发展趋势

汛期影响潼关河床冲淤的因素，主要有来水来沙和河道边界两方面，非汛期淤积量及分布情况对河道泄洪输沙直接产生影响。近期潼关水量减少，河道输沙能力降低，库区出现累积性淤积。为了适应入库水沙条件的不利变化，水库运用方式多次进行调整和改善，1993 年以来非汛期壅水淤积已基本控制在坫垮以下。在此情况下，年内潼关高程能否实现冲淤平衡，主要受汛期水量及河道条件所制约。

1986 年后，潼关河段水量减小，淤积增多，主流摆动加剧，河槽展宽升高，河道形态发生不利变化，泄洪输沙能力减弱，已成为制约洪水冲刷及降低潼关高程的主要因素。最近几年，黄河、渭河汇流区黄河主流趋于归顺、渭河口下延至黄淤 42 断面附近；潼关以下宽浅河道水流趋于集中，阻碍行洪的浅滩段较前期有所下移，潼关至古贤约 7 km 河道水流集中于断面形态较为一致的窄深河槽，但水流比降偏小，潼关至古贤比降经常处在 2.0‱以下，对泄洪排沙是不利的。而从长河段来看，自 1993 年非汛期运用水位降低之后，坫垮河床淤积减少，汛初同流量水位较前期有所下降，整个汛期潼关至坫垮比降由 2.0‰增至 2.1‰～2.2‰。近期水库运用水位下降及潼关河段机械清淤，在一定程度上改善了潼关至坫垮河段的河道输沙条件。随着潼关至坫垮河段河道整治工程及清淤规模的不断增大，该段河道的泄洪输沙条件将进一步得到改善。

总之，随着水库运用方式的改善，以及实施清淤和河道整治工程后河道输沙能力的提高，汛期潼关河床的冲刷程度将比近几年有所增加。汛期潼关高程下降幅度的大小，来水来沙是关键因素，遇丰水年份，将发生较大幅度的冲刷，若遇有利的水沙条件如渭河高含沙洪水，有望发生强烈的冲刷调整。

1.3　潼关高程演变的发展趋势

潼关河床天然情况下具有非汛期淤积、汛期冲刷的规律，三门峡水库蓄清排浑控制运用以来这种变化特点更加显著。1974 年以来，受三门峡水库非汛期蓄水的影响，潼关高程上升值大于建库前，但汛期来水量相同的条件下，潼关高程的冲刷下降值也大于建库前，具有多淤多冲的特点，见图 4-2。

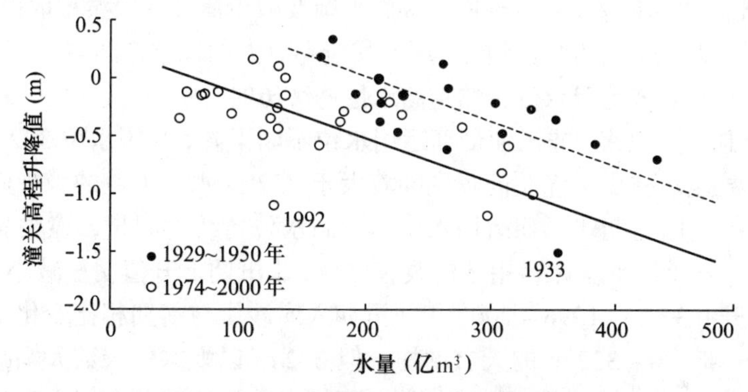

图 4-2　潼关高程变化与汛期水量的关系

小浪底水库运用后，三门峡蓄水任务减轻，高水位持续时间缩短或消失，非汛期的抬升将会得以缓解，但万家寨水库调蓄桃汛洪水，削减桃汛洪峰，或形成两个出库洪峰，削弱了桃汛洪水对潼关河床的冲刷作用。非汛期潼关高程仍保持抬升的趋势，年内能否达到冲淤平衡，取决于汛期的水沙条件。图 4-2 表明，汛期水量增加 100 亿 m^3，潼关高程的下降值将会增加 0.2～0.6 m。

自 1986 年来水来沙和水库运用方式变化后，经过较长时间的冲淤调整，潼关河段淤积持续上升的趋势已趋于缓解。如果今后在目前河道输沙条件的基础上继续得到改善，潼关至坫垮平均比降稳定在 2.1‰～2.2‰，年内潼关河床可基本实现冲淤平衡或略有下降。河道条件和水库运用方式的改善，短期内可实现潼关河床的冲刷下降，但黄河水少沙多的自然条件无法改变，潼关河床将依然遵循缓慢淤积抬升的演变规律。

2　改善潼关高程措施

潼关断面所处位置的特殊性决定了其河床高程演变的复杂性。潼关高程既受来水来沙条件的影响，也与三门峡水库运用方式、河道边界条件等诸多因素有关。在来水来沙条件尚未出现明显好转的情况下，优化水库运用方式、加快河道整治步伐、实施清淤疏导工程等是改善潼关高程的主要途径。

2.1 改善水库调度运用方式

三门峡水库投入运用以来，根据水沙条件和库区冲淤情况，水库运用方式不断进行调整和改善，非汛期运用水位不断下降。1993 年以来，为了改善库区淤积分布状况，减少潼关河段淤积，非汛期运用水位已基本控制在 322 m 以下，大于 320 m 的天数比前期减少 30 多天；凌汛期视黄河下游河道冰情变化，尽量少蓄水。凌汛过后及时降低运用水位，于桃汛入库前起调水位降至 315 m。汛期运用方式亦根据水沙变化和库区冲淤情况不断进行调整。1980 ~ 1988 年汛期基本不发电，控制 300 ~ 303 m 水位排沙。1989 ~ 1993 年进行汛期浑水发电试验，着重于水轮机机型、材质及抗磨材料方面的研究。1994 ~ 1999 年又进行了汛期发电试验，不断改善水库运用方式，汛期平水期控制 305 m 水位发电；洪水期敞泄排沙，平均库水位降至 300 m 左右，比前期下降 4 ~ 6 m，增大了溯源冲刷的数量与范围，比降得以调整，对实现库区冲淤平衡及减少潼关河段淤积取得了明显效果。小浪底水库运用以后，三门峡水库的运用方式应有更大的调整空间。

2.1.1 非汛期适当降低运用水位，缩短高水位持续历时

1974 年控制运用以来，非汛期最高运用水位不断下降，运用水位 322 ~ 324 m 和大于 324 m 的天数逐渐减少，潼关高程则随着大于 322 m 水位天数的减少而上升幅度减少。三门峡控制运用初期非汛期运用水位高，高水位持续时间长，潼关高程平均升高 0.70 m 左右，1980 年以来水库运用条件改善之后，非汛期上升值明显减小，多在 0.50 m 以下，平均上升 0.35 m。1996 ~ 2000 年非汛期入库沙量与前期相比变化不大，运用水位 317 ~ 320 m 和 320 ~ 322 m 的天数增加，但 322 m 以上水位天数大幅减少，非汛期潼关高程平均升高 0.27 m，是三门峡控制运用以来非汛期潼关高程上升最小的时期。以上分析表明，非汛期库水位控制在 322 m 以下，并适当缩短高水位持续历时，可以有效地减少潼关河段淤积和改善库区淤积分布状况。在小浪底水库运用初期，一般年份三门峡水库不再承担防凌、春灌蓄水任务，如果非汛期最高水位控制在 320 m 以下，则将更有利于稳定潼关高程。

2.1.2 洪水期敞泄排沙

汛期库区冲刷主要发生在洪水期，洪水期降低水位敞泄排沙，是恢复有效库容、降低潼关河床高程的决定性因素。据实测资料分析，在非汛期淤积部位和洪水期水库运用情况大致相同的条件下，库区冲刷量主要与洪水水量有关。自 1993 年非汛期降低运用水位以来，淤积物主要分布在黄淤 31 断面以下，三角洲顶点位于北村附近，比前期下移近 30 km；汛期洪水敞泄排沙，平均库水位降至 300 m 左右。在此条件下，库区冲刷量与洪水水量之间成正比。

在目前水量偏枯、洪水水沙组合不利的条件下，一方面适当降低非汛期运用水位，改善淤积部位；另一方面，洪水期降低水位敞泄排沙，增大汛期洪水冲刷效果，合理地进行泥沙调节，是实现库区冲淤平衡、保持潼关高程相对稳定的重要措施之一。小浪底水库和三门峡枢纽 11、12 号底孔投入运用后，为三门峡水库优化运用方式的研究提供了

有利的条件。

2.2 实施清淤疏导工程

潼关以下河道逐渐展宽，水流散乱，是阻碍行洪的浅滩段。浅滩段是影响洪水冲刷的主要因素之一，浅滩的淤长与冲蚀及其部位的上提与下移，对潼关高程变化直接产生影响。

自 1996 年潼关河段实施清淤工程以来，以“因势利导，理顺河势，集中水流，调整局部河段比降，提高水流输沙能力”为基本原则，根据该段河道的水流输沙特性及其河道形态的变化特点，以疏浚主河槽中的浅滩为主，兼顾封堵分流汊道，洪水期峰前诱导拉沙，峰后诱导归槽。从而达到改善河道边界条件、促进洪水冲刷、降低潼关高程的目的。

清淤以来实测资料表明，清淤使浅滩段河床冲刷，淤积部位下移，河槽束窄刷深，河心滩缩小或减少，水流相对集中，河势趋于归顺。潼关以下河道经过冲淤调整后，比降亦发生明显变化。这些河道形态的变化，改善了河道的泄洪输沙条件，抑制淤积上延，在洪水水沙组合条件基本一致的情况下，潼关河段清淤加大了潼关河床的洪水冲刷幅度；从另一角度讲，潼关河段清淤降低了洪水期产生冲刷的条件，即清淤疏通了河道、理顺了河势，改善了局部河段断面形态，提高了洪水冲刷能力，增加了河道输沙量。

1986 年以来水沙条件的不利变化，导致潼关高程逐年上升，至 1995 年汛末上升至 328.28 m，比 1985 年同期升高 1.64 m。自 1996 年实施河道清淤以来，在汛期水量偏枯 50%以上及洪水水沙组合不利的情况下，2000 年汛末潼关高程为 328.33 m，仅略有上升。显然，射流清淤对抑制潼关高程的抬升是起作用的。

在入库水沙条件暂时不能得到改善的条件下，采用射流清淤疏导的方法，疏浚主河道中的浅滩，提高水流挟沙力，为洪水冲刷创造良好的河床边界条件，是减少河床淤积、保持潼关高程相对稳定的一项有效措施，应当继续开展。

2.3 河道整治

20 世纪 70 年代初三门峡水利枢纽工程二次增建和改建的泄流设施相继投入运用后，在水库壅水淤积和洪水冲刷的共同作用下，溯源冲刷发展到潼关以上，逐渐在前期滩槽大量淤积的基础上塑造出新河槽。1971 年和 1972 年曾因主流摆动引起局部库段的滩岸坍塌，先后修建了古贤工程和原村工程。1977 年大洪水之后，河势游荡加剧，潼关以下库段塌岸塌滩现象时有发生，沿河两岸又陆续修建了防护控导工程 10 余处，对限制水流横向摆动和保滩护岸发挥了重要作用。近期来水来沙条件的不利变化，以及河流两岸滩区及库岸岩性结构松散，抗冲性差，导致主流发生剧烈的频繁摆动。现有的护滩工程和护岸导流工程数量及布局尚不能有效控导水流、稳定河势，使来源于黄河和渭河的中小流量洪水基本沿着河道整治规划的线路流动。根据潼关河段的河道形态变化、淤积发展状况及潼关高程居高不下的变化趋势，急需加快河道整治步伐，沿两岸增设控导工程，以稳定河势，改善河道输沙条件。整治目标主要包括：

(1)根据黄河、渭河汇流区河势演变规律及对潼关以下河势变化的影响，通过工程措施控制汇流区河势变化，以达到黄河、渭河汇流区及潼关河段在出现不同水沙组合的中小流量洪水时，流路归顺，河势相对稳定。

(2)河道整治规划需着眼于对整段河道的全线控制，而整治工程则无需做到全线布设。当前，治理的重点河段应放在潼关至坫垮段，宜在现有河道整治工程布局的基础上，根据河势的发展趋势及规划治导线所划定的流路再适当安排一些挑流控导工程，做到上游与下游、左岸与右岸统筹兼顾，河槽与滩地综合治理，因势利导，相互调控，以达到束窄河槽、稳定河势、集中水流、改善河道输沙条件的目的。

2.4 其他措施

黄河河床的淤积抬高，归根结底是来自流域内的土壤侵蚀的产沙量，控制水土流失、减少入黄泥沙是减少河床淤积的根本。在黄河中游开展水土保持、重点治理多沙粗沙区、黄河干支流兴建大中型水库形成水沙调控体系、小北干流河段实施放淤等，大幅度拦减入黄泥沙，减少进入潼关沙量，改变三门峡水库来水来沙条件，是稳定和降低潼关高程的根本措施。由于这些工程系统十分复杂且投资巨大，因此需进行大量深入细致的科学研究和长期规划。

3 小结

(1)非汛期潼关河床的升高包括桃汛期的冲刷下降、凌汛期和春灌蓄水期的抬升，凌汛期上升值占非汛期的81%。小浪底水库运用以后，随着三门峡水库运用水位的进一步调整，潼关高程上升值得以改善，同时由于万家寨水库蓄水的影响，桃汛洪水对潼关河床的冲刷作用减弱，非汛期仍会淤积上升。汛期潼关高程的冲刷下降主要取决于来水来沙条件，遇有利的水沙条件，潼关河床将会发生较大幅度的冲刷下降，一般情况下与汛期水量具有趋势关系，随汛期水量的增加而冲刷下降幅度增大。

(2)影响河床冲淤调整的因素是十分复杂的，仍存在一些不利因素，潼关高程上升的趋势依然存在，应通过多种措施稳定和降低潼关高程。进一步优化水库调度运用，非汛期适当降低运用水位，缩短高水位蓄水历时；汛期平水期控制水位发电，洪水期降低水位敞泄排沙，增大溯源冲刷的数量与范围。继续实施清淤疏导工程、加快河道整治步伐，是稳定河势、疏通流路、改善泄洪输沙条件、减少潼关河段淤积、改善潼关高程的有效措施。

(3)在黄河中游干支流兴建大型水库、开展水土保持加快多沙粗沙区的治理并在小北干流等有利河段实施放淤等，大幅度拦减入黄泥沙，从根本上改变三门峡水库来水来沙条件，是稳定和降低潼关高程的根本措施。

参考文献

[1] 肖俊法，牛长喜，高德松，等. 非汛期影响潼关河床冲淤成因分析.见：三门峡水利枢纽运用四十周年论文集. 郑州：黄河水利出版社，2001

[2] 侯素珍，姜乃迁，李文远，等. 2000年潼关河段桃汛清淤分析.见：三门峡水利枢纽运用四十周年

论文集. 郑州：黄河水利出版社，2001
[3] 姜乃迁，李文学，等. 黄河潼关河段清淤研究. 人民黄河，2000(9)
[4] 王敏，鲁孝轩，等. 黄河潼关河段清淤效果分析. 人民黄河，2000(7)
[5] 姜乃迁，侯素珍，等. 来水来沙对潼关高程的影响. 泥沙研究，2001(2)

第五章　结　论

三门峡水库是在多泥沙河流上修建的第一座以防洪为主的大型综合利用水库工程，其控制了黄河下游洪水 3 个来源区中的两个来源区，确保黄河下游防洪安全是三门峡水库的首要任务。由于其特殊的地理位置和条件，特别是水库运用的制约条件之一的潼关高程问题，对水库的调度运用和综合利用效益的发挥产生了影响，但也对研究多沙河流上的水库的调度运用、库区冲淤演变特性和如何发挥水库的综合效益，提供了很好的试验研究基地和丰富的技术资料。通过对三门峡水库运用及库区冲淤基本资料的分析，特别是对蓄清排浑运用以来的资料分析，概括起来得出如下几个方面的基本认识。

1　蓄清排浑后，三门峡水库调度运用和库区冲淤及排沙基本规律

(1)非汛期三门峡水库的淤积形态和淤积重心部位与水库运用最高水位及各级运用水位持续时间长短有关。坝前水位高，而且持续时间较长时，库区淤积重心部位偏上，淤积形态基本为三角洲型；坝前水位较低，淤积重心偏下，当坝前水位低于 310 m 时，淤积形态基本为锥体分布。从历年水库各断面平均河底高程变化看，库区淤积三角洲顶点位置与坝前运用水位及其持续时间长短关系密切。1985 年以前水库运用水位偏高，三角洲顶点位置基本在黄淤 31—黄淤 36 断面之间变动；1985 年以后，特别是 1992 年以来，水库非汛期运用最高水位逐年降低，三角洲顶点也随库运用水位的降低而不断下移到黄淤 30 断面以下，近几年下移至黄淤 22 断面上下。

(2)水库汛期排沙的主要过程为：①水库每年 6 月及 7 月初的降低库水位排沙过程；②洪水期敞泄排沙过程；③平水期控制库水位 300～305 m 的低水位运用排沙过程。三门峡水库的资料分析表明，水库的排沙主要与来水来沙条件和水库控制水位及泄量等因素有关。水库汛期的排沙主要是在洪水期，而洪水期的排沙效率与坝前水位有关。如当坝前水位低于 300 m 时，高含沙洪水和一般含沙量洪水的排沙效率分别为 0.056 t / m^3 和 0.022 t / m^3，是坝前水位 300～305 m 时同类洪水排沙效率的 2 倍，是坝前水位大于 305 m 时同类洪水排沙效率的 4～5 倍。可见，洪水期坝前水位的高低对库区冲刷排沙的效果影响很大。

(3)水库溯源冲刷的发生和发展，除受坝前水位影响外，还受洪水流量大小和发生的次数及其过程、库区淤积量及其分布等因素影响。三门峡水库一般在每年 6 月中、下旬或 7 月初，在春灌泄水期库水位降落时，库区发生溯源冲刷，此时期若没有洪水入库，溯源冲刷影响范围较短，如非汛期淤积重心部位偏下时，一般在大禹渡至北村(黄淤 31—黄淤 22 断面)区间；如汛期出现洪水(3 000 m^3/s 以上)并发生次数较多时，库区会出现溯源冲刷和沿程冲刷两种冲刷形式。随着汛期洪水次数的不断增加，溯源冲刷和沿程

冲刷会衔接起来，这种情况的出现可以使水库从量和部位上基本达到冲刷平衡。需要指出的是，当汛期来水较枯、水量较小而且洪水(3 000 m^3/s)发生的次数少时，溯源冲刷和沿程冲刷很难衔接起来，往往使库区达不到年内冲淤的平衡。

2 小浪底水库建成运用后，三门峡水库承担任务分析

(1)对三门峡水库承担任务分析表明，由于三门峡水库的特殊地理位置(其控制了黄河下游3个洪水来源区的两个)，再加上黄河水量存在丰枯交替的规律，发生大洪水的可能性是存在的，历史上曾出现过丰水期。三门峡以上的“上大洪水”发生过5次特大洪水，最大流量为1843年陕县36 000 m^3/s，黄河中下游也发生过13次流量大于10 000 m^3/s的洪水。从发生的洪水流量和洪量大小分析，在小浪底水库建成运用后，三门峡水库虽然改变了原来承担的一些任务，但防洪任务还应放在首位。与三门峡水库单独存在时的情况比较而言，防洪任务将由小浪底、三门峡、陆浑、故县水库和东平湖水库等组成的黄河下游防洪工程体系共同承担，联合调度运用。

(2)三门峡水库的运用实践表明，多泥沙河流上的水库，一旦滩地库容淤积损失后很难恢复。为了有效地保持库容，防御特大洪水，水库的防洪应确定合理的防洪目标和采取合理的调度运用方式。一般情况下，三门峡水库尽量不拦洪或少拦洪，使回水不致造成潼关河段淤积抬高，尽可能减少由于水库防洪蓄水对潼关高程的影响。为减少潼关以上关中地区农田由于水库防洪运用的淹没损失，并考虑到库区10余万返库移民的安全，在配合小浪底水库防洪运用中，尽可能地减少高水位持续时间。减少滩库容的损失和水库淤积，并控制淤积部位，有利于洪水过后将淤积的泥沙排出库外，以期使水库在防洪运用中不断发挥作用。

(3)小浪底水库建成运用初期，三门峡水库配合小浪底水库等工程防洪运用方式的拟定不仅取决于黄河下游的防洪要求，也取决于水库泥沙淤积状况，还取决于晋、陕、豫、鲁四省利弊关系等社会因素的制约条件。防洪运用应采取“上下兼顾，合理承担”的原则，联合调度运用，确保黄河下游防洪安全。

(4)小浪底水库运用初期发生“上大洪水”时，既要发挥小浪底水库运用初期库容大的特点，也需视洪水情况发挥三门峡水库的防洪作用，并尽量减少三门峡水库高水位的持续时间，达到防洪保安全的目的。根据对实测资料分析和三门峡水库敞泄方案、先敞后控方案及适时调控方案防洪的调洪计算分析结果，推荐三门峡水库采用“适时调控”方案的运用方式。

发生“下大洪水”时，因其产汇流区域紧靠黄河下游，洪水上涨迅速，三门峡水库对其控制作用较小，但三门峡水库可配合小浪底水库等防洪工程削减花园口洪水的流量。同时，应视洪水情况，充分利用小浪底水库拦蓄洪水，如有必要，三门峡水库也应在防洪中发挥一定作用，承担部分防洪任务。

(5)小浪底水库运用初期，黄河下游的防凌和春灌蓄水任务将由小浪底水库或主要由其承担。根据对黄河凌情资料进行的分析，在严重凌情的年份，还需三门峡水库配合小浪底水库承担部分任务，但根据三门峡水库蓄清排浑运用的资料分析表明，防凌蓄水位

应控制在 320 m 以下(相应库容 7 亿 ~ 9 亿 m^3)，回水影响范围在坫垮以下为宜。

(6)小浪底水库建成运用初期，三门峡水库除进行防洪运用外，还应在确保不影响潼关高程前提下，继续发挥其综合利用效益。根据水库蓄清排浑运用以来的资料分析和数学模型几种方案的计算，并结合水轮机运行效率及机组的实际运行工况要求，一般年份水库的运用方式建议为：

非汛期，最高运用水位要以不加重潼关至坫垮库段的淤积为原则。一般情况根据水库非汛期前期淤积状况和河床条件，可控制在 315 m 左右。如若短期需要抬高库水位时，坝前水位也不要超过 320 m，并尽量减少高水位运用时间，以避免水库淤积重心部位偏上，防止淤积延伸影响潼关。

汛期，洪水期尽量降低坝前水位，及时开启闸门，尽量避免水库出现滞洪抬高库水位。为加大排沙效率，排沙水位可按 300 ~ 298 m 控制，并要创造条件，争取进一步下降至 294 m。排沙流量对枯水系列可采用 2 000 m^3 / s，丰水系列可采用 2 500 m^3 / s。平水期控制 305 m 水位发电。

3 潼关高程演变及改善措施

(1)由于潼关的特殊地理位置，潼关高程是三门峡水库的特殊问题，也是影响三门峡水库运用、发挥效益的制约因素之一。建库前总的说来，潼关河床是非汛期淤积上升，汛期冲刷下降，全年是微淤的；其变化受来水来沙条件和潼关断面上下游河段纵、横向河床调整的影响。三门峡水库修建运用后，影响潼关高程变化除上述因素外，还受水库运用的影响。在水库控制运用条件下，潼关高程非汛期淤积升高与汛期冲刷下降的变化特点比建库前更加明显。汛期河床冲刷主要发生在洪水期，其冲刷程度与洪峰的大小、洪量和洪峰出现次数等因素有关，平水期河床呈现微淤或处于冲淤相对均衡状态。

(2)自 1979 年 11 月份以来，潼关高程的变化情况。1979 年(运用年下同)以前，虽然时段内有的年份水沙条件较好，但也有枯水丰沙年(如 1977 年)，水库非汛期运用水位偏高，有的年份回水直接影响潼关，高水位历时较长，库区泥沙淤积部位偏上，致使潼关高程呈上升趋势。1979 ~ 1985 年，水沙条件有利，非汛期水库运用水位有所降低，在汛期溯源冲刷和沿程冲刷联合作用下，潼关高程不断下降，恢复到 1973 年汛后的 326.64 m。1986 年以后，非汛期水库运用水位较前又有所降低，特别是 1992 年以后，潼关至坫垮段基本不受水库回水影响，处于畅流的天然河流状态。自 1986 年以来，汛期入库水量减少，再加上由于龙羊峡等大型水库调节，洪峰水量减少和大、中洪峰流量出现几率减少，冲刷非汛期淤积泥沙的能力降低，虽然水库运用水位不断降低和调整，但潼关高程持续抬升，1996 年以来，汛末潼关高程基本在 328.20 m 上下变动。

(3)潼关高程改善的措施。1985 年以后潼关高程持续升高后，近些年来一直居高不下，这已为世人所关注。为了改善潼关高程，1996 年以来，已在潼关以下部分河段进行射流机械清淤，改善库区河道的输沙条件，取得了一定成绩。由于影响潼关高程因素复杂，而且来水来沙的影响目前还不能有效控制，为控制或降低潼关高程，建议采取如下综合措施进行治理：①合理运用三门峡水库，尽量控制高水位运用；②积极进行相关河段的河道整治，减少河势游荡造成淤积，影响潼关高程；③继续进行潼关河段的射流清淤工作；④合理配置利用水资源，保持环境用水及输沙用水量；⑤万家寨水库的运用给桃汛冲刷潼关河床的作用带来不利影响，建议凌汛期合理调度万家寨水库，以减少桃汛期对三门峡库区潼关及以下河段冲刷的不利影响；⑥建议抓紧做好前期工作，以尽快兴建古贤水库工程，并合理调度运用，以降低潼关高程。